海外漢文古醫籍精選叢書·第三輯

2011—2020年國家古籍整理出版規劃項目
2018年度國家古籍整理出版專項經費資助項目
中國中醫科學院「十三五」第一批重點領域科研項目
——我國與「一帶一路」九國醫藥交流史研究（ZZ10—011—1）

蕭永芝◎主編

外科方彙

〔日〕桃井碩水　輯

良醫家傳外科治癰疽門

〔越〕佚名氏　撰

活世良方

〔越〕富康社志善壇弟子　撰

24

北京科学技术出版社

圖書在版編目（CIP）數據

外科方彙；良醫家傳外科治癰疽門；活世良方/蕭永芝主編. —北京：北京科學技術出版社，2019.1

（海外漢文古醫籍精選叢書. 第三輯）

ISBN 978－7－5714－0007－1

Ⅰ. ①外… Ⅱ. ①蕭… Ⅲ. ①中醫外科—方書—彙編—日本②中醫外科—方書—彙編—越南③方書—彙編 Ⅳ. ①R289.2

中國版本圖書館CIP數據核字（2018）第295417號

海外漢文古醫籍精選叢書・第三輯・外科方彙 良醫家傳外科治癰疽門 活世良方

主　　編： 蕭永芝
策劃編輯： 李兆弟　侍　偉
責任編輯： 吕　艷　周　珊
責任印製： 李　茗
出 版 人： 曾慶宇
出版發行： 北京科學技術出版社
社　　址： 北京西直門南大街16號
郵政編碼： 100035
電話傳真： 0086-10-66135495（總編室）
0086-10-66113227（發行部）　0086-10-66161952（發行部傳真）
電子信箱： bjkj@bjkjpress.com
網　　址： www.bkydw.cn
經　　銷： 新華書店
印　　刷： 北京虎彩文化傳播有限公司
開　　本： 787mm × 1092mm　1/16
字　　數： 297千字
印　　張： 24.75
版　　次： 2019年1月第1版
印　　次： 2019年1月第1次印刷
ISBN 978－7－5714－0007－1/R・2562

定　　價： **700.00元**

海外漢文古醫籍精選叢書·第三輯

外科方彙

〔日〕桃井碩水　輯

内容提要

《外科方彙》是日本的一種臨證外科方書類著作，由桃井碩水纂輯，成書於元文三年（一七三八），寶曆十一年（一七六一）初刊。作者針對外科常見的癰、疽、疔、瘡等疾病，參考諸多醫學文獻，輯録數百首方劑并加以詳細論述。全書選方精良，便捷實用，具有較高的文獻研究價值和臨床實用價值。

一 作者與成書

《外科方彙》書首有「叙」一篇，據其内容可知是作者自序，文末署名「源碩水」，且正文首葉題署「江府桃井碩水輯」，據此判斷本書作者爲桃井碩水。

桃井碩水，生平不詳，江府（今日本鳥取縣西部）人，爲日本江户時代醫師。依作者自序末所記「元文戊午初夏望」的時間，知《外科方彙》撰成於日本元文三年戊午（一七三八）。十八年後的寶曆六年丙子（一七五六），醫官淺井休伯爲此書撰序；寶曆十一年辛巳（一七六一），此書正式刊刻發行，著名醫官望月三英提筆作序，此時距《外科方彙》成書已有二十三年。除《外科方彙》一書外，桃井碩水還撰有《紅毛外科勘辨》八卷。

淺井休伯「外科方彙序」載「方者，仿也，隅也，仿於一隅，以準則之者矣」；又望月三英撰序言「桃碩水今集其經驗之方，編爲袖珍，欲令以便藥籠之簡易」。可知，《外科方彙》實際是桃井碩水針對外科病證確立治則，采輯衆多醫書的相關方藥編撰而成的簡便廉效的外科方書。

作者在自叙中感慨外科瘍醫之難，强調對外科病證的認識與治療，「内之症或不及其外，外之症則必根於其内，然則何有忽其内而可治其外之理乎」，緣外科方藥萬千，故「采揖（輯）其大概而編小册，以便日用，欲爲治内修外之一助而已」。

二　主要内容

《外科方彙》是一部袖珍外科醫方專書。全書不分卷次，按病證分類，於證下列方。全書分列三十篇，其中：癰疽，含腫瘍、潰瘍，附發背，一百七十六方；疔瘡，附痘疔癰，二十三方；瘰癧，含馬刀瘡、結核，五十一方；肺癰，含肺痿，三十方；腸癰，含腹癰、臍癰，二十五方；乳癰，含乳岩，二十九方；時毒，二十方；腦疽，十四方；鬢疽，含痄腮、發頤，二十三方；癭瘤，含結核，十六方；流注，含痰注，十七方；赤白游風，含癮疹，十四方；火丹，含眼丹，十四方；天泡瘡，五方；大麻風，含癜風、癧瘍瘋，十二方；疥癬，含浸淫瘡，三十一方；臁瘡，含腎風瘡、風疽、下注瘡，十四方；下疳瘡，含陰虱、筋疝，婦人陰瘡，二十六方；便毒，二十六方；楊梅瘡，含結毒，二十三方；脱疽，含田螺泡、跟疽，五方；附骨疽，含鶴膝風、緩疽、石疽、過膝風，二十六方；多骨疽，三方；痔漏，含臟毒，二十八方；臀癰，含坐馬癰、穿襠發，十二方；囊癰，十三方；懸癰，八方；金瘡，含跌撲、杖瘡，二十九方；湯火燒瘡，一方；破傷風濕，十四方等。全書共收載醫方七百二十八首，含重出之方；除去同名同方者，初步統計共有不同之方（含异名异方、同名异方、异名同方、「一方」「又方」等）六百一十七首。

正文每篇病證首列主病名及所附病證名，然後以「○」起下文，先叙述病證形態，次引前人對此證病機、治則、治法、預後轉歸等的論述，隨後輯録治療該外科病證的衆多醫方。對每一首醫方的載述，包括方劑名稱、主治病證（症狀、體徵、病因、病機等）、主要功效、藥物組成、用量炮製、煎服方法、調護禁忌、臨證加减化裁等。

以正文首出的癰疽篇爲例，此處先列出癰疽病名，其下分腫瘍、潰瘍二證，又附發背於後。其次叙述腫瘍的定義，「○腫瘍者，癰疽初發，壅腫而未見膿者也」。再次引用明代著名醫家王肯堂（宇泰）對此病治法的論述，「王宇泰云：治瘡之大要，須明托裏、疏通、行榮衛三法。托裏者，治其外之内；疏通者，治其内之外；行榮衛者，治其中。用此三法之後，雖未瘥，必無變證，亦可使邪氣峻减而易痊也」。最後列出第一首方劑的名稱「仙方活命飲」；述其主治病證，「治一切癰疽疔，不問陰陽虚實，善惡腫潰，大痛或不痛。然當服於未潰之先與初潰之際。如毒已大潰，不可服。仍用一劑，大勢已退，然後隨症調治」；藥物組成及用量，「金銀花、陳皮各三錢、乳香、没藥、貝母、防風、白芷、皂角刺炒、赤芍、歸尾、甘草、穿山甲炮、天花粉各一錢」，其中亦標明藥物炮製加工方法及藥物取用部位，如炒製皂角刺、炮製穿山甲，當歸選取尾部等；煎服方法，「酒煎，或水煎加酒」；臨證加减化裁，文前以「○」起始，「○在背俞，倍皂刺；○在腹膜，倍白芷；○在胸，加瓜蔞仁；○在四肢，倍金銀花；○如疔瘡，加紫河車草根（一名金綫重樓）三錢，如無亦可。」

此外，某些醫方列有方劑别名，如在癰疽篇的腫瘍之中，輯有仙方活命飲一方，云「一名真人活命飲」；書中時而會對比不同文獻來源的方劑組成及藥物名稱，指出相互之間的不同情况，如癰疽篇之腫瘍，在内疏黄連湯下言「○《外科集驗方》有白芍藥」，又於神效托裏散下云「○忍冬，《景岳全書》作金銀花」；亦有方劑不述組成、劑量，僅言其由某方化裁而來，如同樣在癰疽篇的腫瘍之中，當歸黄芪湯，「方即四物湯加黄芪、地骨皮」；或於臨證加减化裁中略述病因病機，如同篇之腫瘍，「○嘔則是濕氣侵胃，倍加白术」；或遇有方無名者，則曰「一方」「又方」等。

三　特色與價值

《外科方彙》援引諸多中醫外科古籍及其他醫著中的外科内容，汲取其中的精華，將衆多方劑彙集成册，以病證分篇，詳列病證治療所用之方，示外科證治方藥之大概，以便醫者日常查閲及臨床使用。

（一）醫方來源廣泛

本書參考歷代重要醫學文獻，輯録了大量治療外科疾病的醫方。書中主要援引諸多中醫外科著作，如明・竇夢麟增輯《瘡瘍經驗全書》（舊題宋・竇漢卿撰）、王肯堂《證治準繩・瘍醫》、陳實功《外科正宗》、周文采《外科集驗方》、申斗垣《外科啓玄》、薛己《外科樞要》等外科專著；又從明人李梴《醫學入門》、龔廷賢《萬病回春》、張介賓《景岳全書》等著作中摘取與外科相關的内容。其中引用較多的有《證治準繩・瘍醫》《外科正宗》《醫學入門》等。桃井碩水有針對性地選取其中的病證論述及治療方劑，并對比不同文獻的出處，考證方劑組成的出入之處。如腸癰篇中的牡丹皮散出自《外科正宗》，作者在與他書對比之後指出，「○《準繩》有天麻，無白芍」；排膿散亦出自《外科正宗》，又「○《準繩》無川芎，有連翹、甘草」等。

書中輯録了大量名稱相同而藥物組成、主治病證不同的醫方，即同名异方。這種現象也反映出作者采擷醫方時來源非常廣泛。如同樣名爲白术湯，疥癬篇的白术湯由白术、茯苓、升麻、防風、半夏、人參、厚朴、熟附子、甘草組成，「治小瘡疥癬癮疹，得冷而後小便不通爲水腫」；而破傷風濕篇的同名之方則由白术、葛根、升麻、黄芩、芍藥、甘草組成，「治破傷風汗不止，筋攣搐搦」。再如名爲白芷升麻湯者，在癰疽篇由白芷、升麻、桔梗、黄芪、黄芩、黄連、紅花、甘草組成，「治八風之變，在經脉之中凝滯而爲癰」；而在下疳瘡篇則由白芷、升麻、黄連、木通、當歸、川芎、白术、茯苓組成，「治婦人陰内膿水淋漓，或癢或痛」。不僅不同篇之間存在同名异方，在同一篇中也存在這種現象。如火丹篇有兩首升麻葛根湯，第一首未列藥物組成，僅言「丹毒通用，清火去濕」「依本方加白术、茯苓、木香、枳殼」。經考此升麻葛根湯出自明・李梴《醫學入門》卷之五，其組成爲葛根、升麻、芍藥、甘草。而第二首升麻葛根湯「治丹毒身體發熱，面紅氣急，啼叫驚搐等症。依本方加柴胡、黄芩、山梔、木通」。又考此升麻葛根湯出自明・陳實功《外科正宗》卷之四（輯録内容有一些錯誤）。經對比分析可知，同名异方現象的出現，多數是由於方劑來源不同所致，如前述二首升麻葛根湯，一方出自《醫學入門》，一方源於《外科正宗》，方名雖同而其藥物組成及主治病證全然不同。

(二)編排獨具特色

全書在重出的方劑下撰述的内容詳略不等，但多數情況下必言其主治病證，有時指出某方見某篇，有些方則有加減化裁等。例如，八物湯在書中先後出現五次，分别見於疔瘡、乳癰、瘿瘤、疥癬、附骨疽等篇。其中，疔瘡篇，「治疽疔落後，氣血虛弱，膿水出多，不能生肌收斂者方見潰瘍」；乳癰篇，「治乳癰，哺熱内熱，是陰血虛也方見癰疽」「依本方（指八物湯，下同）加五味子。若勞碌腫痛，是氣血未復也，倍人參、黄芪、白术；若怒氣腫痛，肝火傷血也，加柴胡、山梔」；瘿瘤篇，「治筋瘤。依本方加山梔、木瓜、龍膽炒黑」；疥癬篇，「五疥含漿，膿清色淡，不痛便利者，爲腎虛火。依本方加知母、黄柏」；附骨疽篇，「内傷鬱怒，腫痛如錐，赤暈散漫，先用活命飲，次依本方加柴胡、牡丹、山梔」。又如，「八正散」出現二次，分别見於下疳瘡和囊癰兩篇。其中，下疳瘡篇，「治肝經積熱，小便淋閉不通」，其下載録八正散的藥物組成、藥物劑量和服用方法；在囊癰篇，僅言「腎囊初起紅腫，小便澀滯者，用之」，未載該方見於何篇，亦無組成、服法等内容。

有的方劑雖言方見某篇，但所見之篇或在本篇之前，或在本篇之後，如仙方活命飲在癰疽篇潰瘍中出現時，標注「方見腫瘍」，腫瘍篇在潰瘍篇之前；連翹飲在火丹篇大連翹飲下出現，且言「方見疥癬」，而疥癬篇在火丹篇之後。據此可以推測，本書不同之篇輯録完成的時間先後不同，并非與目次順序一致。

若有重出之方，則視不同情況省略組成、服法、禁忌、加減等内容，而僅言方見某篇或由某方化裁而成。但少數情況也有例外，雖方劑前後重複出現，仍重新列述藥物組成，以方便臨證直接參考使用，如赤白游風篇、疥癬篇的加味羌活散，便毒篇、囊癰篇的加味瀉肝湯，二方的藥物組成均在不同之處分别列出，後出者并未省略。

本書對多數方劑詳列藥物組成及用量，而部分方劑則僅言由某方加减化裁而來，或本方加减化裁後變成某方。如癰疽篇潰瘍下的八珍湯，「方即前方（指十全大補湯）去黄芪、肉桂」；同篇腫瘍下托裹十補散，「加芍藥、連翹、木香、乳香、没藥，名托裹散」。若有方劑爲常用名方，人們大多耳熟能詳，如二陳湯、六君子湯、四君子湯、人參敗毒散、腎氣丸、小柴胡湯等，便不再列出藥物組成。

（三）載述内容完備

作爲專門輯録外科治方的醫方著作，本書基本具備了方書的各種要素，較爲全面地反映了所引文獻的完整體例。如方名之下先述主治病證的臨床表現，之後列出該方的藥物組成、用藥劑量、炮製方法，最後言及藥物劑型、服用方法、用藥禁忌、加减化裁等。全書較爲忠實地保存了輯録文獻的原始風貌，基本遵循所據文獻的用藥名稱，如金銀花（銀花、忍冬）、生地黄（生芐）、牛蒡子（鼠粘子）、天花粉（栝蔞根、花粉）、龍膽草（龍膽、膽草）等；展示了藥物的多種炮製方法，如酒炒（黄連）、煅（石膏）、蒸（百合）、煨（大黄）、焙（當歸）等；保留煎煮時加入的輔料，如仙方活命以飲水煎加酒，内疏黄連湯用水煎加蜜，生地黄散加竹葉煎等；注重服藥方法，如通經導滯湯於食前服，换骨丸臨卧服，紅花散瘀湯空心服，牡蠣散五更頓服等；保留多種劑型，如湯、散、飲、餅、丸、丹等。

（四）臨床運用靈活

中醫在歷史上積纍了浩瀚的醫方，由於方劑來源不一，或口耳相傳，或載述於書，且因載録書籍不同，故存在大量同名同方、同名异方和异名同方的情况，這種現象同樣也反映在外科治方之中。桃井碩水着眼於外科治方的輯録，其書中也有很多同名方劑重複出現；同時，書中輯録的醫方亦有同名异方、异名同方的情况。如當歸拈痛湯，在臁瘡篇、附骨疽篇各載一次，爲同名同方；活血散瘀湯，在腸癰篇、瘿瘤篇、臀癰篇分别出現一次，但均不相同，爲同名异方；敗毒流氣飲，在癰疽篇、腸癰篇中各載一次，名實相同，而在流注篇中出現的敗毒流氣飲與上述同名之方均不相同，部分同名同方，而部分同名异方。在《外科方彙》書中出現同名同方、同名异方和异名同方的複雜情况，一方面説明作者輯方時來源廣泛，不拘一格，只要對治病有益皆廣而納之；另一方面也反映出作者善於運用同一首方治療不同的外科疾病，關鍵是要在臨床實踐中靈活辨證。

關於同名异方的問題，前已論及，此不贅述。

所謂同名同方，即方劑名稱相同，藥物組成也基本相同。某方可分别出現在不同篇，亦可多次出現在同一篇中。如四物湯在全書共出現十九次，其中十八次是同名同方，組成均相同，説明該方的適應病證非常廣泛，可以用來治療癰疽、腸癰、乳癰、鬢疽、瘿瘤、赤白游風、火丹、疥癬、下疳瘡、痔漏、囊癰、懸癰、破傷風濕等十多種外科疾病，且在癰疽篇兩次用來治療不同的潰瘍，又在鬢疽篇運用二次，在瘿瘤篇可見二次，於下疳瘡篇也用過二次。又以加味敗毒散爲例，該方名在本書中先後出現三次，其中有兩處是同名同方，可以分别用來治療瘰癧和附骨疽。如在附骨疽篇，「治足三陽經濕熱毒氣流注脚踝，焮赤腫痛，寒熱如瘧，自汗惡風，或無汗惡寒。依本方加木瓜、蒼术」，其下無藥物組成等内容；又同爲附骨疽篇，另一處言「治足二（三）陽經熱毒流注於脚根，焮赤腫痛，寒熱如瘧，自汗短氣，大小便不利，或無汗惡寒，表裏邪實者，宜之」，其下列藥物組成，有羌活、獨活、前胡、柴胡、桔梗、人參、茯苓、枳殼、川芎、大黄、蒼术、甘草等。考附骨疽篇的兩處加味敗毒散名實相同，主治病證相類，均源於陳實功《外科正宗》卷之三附骨疽。

所謂异名同方，即方劑名稱雖有不同，但藥物組成基本相同。如本書中的八物湯與八珍湯，在疔瘡篇疽疔下言「（八物湯）方見潰瘍」，然在癰疽篇潰瘍之下并未得見該方，僅可見八珍湯之名，且組成爲人參、白芍、川芎、熟地、當歸、白术、茯苓、炙甘草。分析上述八物湯與八珍湯，可知二方實爲异名同方。之所以會出現异名同方，也多是由於來源不同所致。

總之，儘管《外科方彙》是專治外科疾病的醫方集，但作者桃井碩水十分注重外病内治，所輯七百餘方中多數都是内服之方。作者主要采録明代外科醫書及其他醫籍中的外科内容，述其病證、組成、服法、禁忌、加减等，「欲爲治内修外之一助」，意在爲外科臨床提供便捷實用的有效良方。

四 版本情况

桃井碩水的《外科方彙》初刊於寶曆十一年（一七六一），此本現藏於日本九州大學圖書館、早稻田大學圖書館、神宫文庫圖書館。❶ 此外，中國藏有本書的兩種傳本，其一即日本寶曆十一年辛巳（一七六一）勝村治右衛門刻本，藏於中國醫學科學院圖書館；其二爲一九八五年據日本寶曆十一年

❶ 〔日〕國書研究室.國書總目録：第三卷［M］.東京：岩波書店，一九七七：六一.

刻本轉抄的鈔本，藏於中國中醫科學院圖書館。❶

本次影印采用的底本，爲日本早稻田大學圖書館所藏寶曆十一年辛巳（一七六一）刻本。此本現藏書號爲「ヤ09 00343」，不分卷，一册。四眼裝幀。封皮土黄色，左側書名題箋上書「外科方彙　完」，表示爲本書全本，右下角貼有「ヤ武9 343」的舊藏書號。書首輯有三篇序文，即望月三英「外科方彙序」、淺井休伯「外科方彙序」以及作者桃井碩水「叙」，書末無跋。作者自叙之後爲「外科方彙/目次」。正文首葉題記「外科方彙/江府桃井碩水輯」。全書四周無墨綫邊框，無版心，每葉在b面右上角標注葉碼。正文每半葉二十行，每行十六字。篇名縮進三格，單獨成行；每首方名頂格書寫，方名下間隔一格繼續刻寫，換行則縮進一格，藥物組成另起一行縮進兩格刻寫。全書無句讀。葉面下方可見明顯蟲蛀痕迹，但書籍整體品相良好。書末刊刻牌記鎸有本書出版時間及刻書者姓氏、地址及版本等信息，作「寶曆十一辛巳歲季秋壽攖/江户日本橋通壹町目𡋽/御書物師出雲寺和泉掾藏版」。

日本江户時代著名醫家望月三英在本書序中指出：「瘡瘍家之書亦博矣，而近世特貴於蠻夷之術，劣於古科之法。」説明當時日本傳統的外科學在西方醫學的影響下呈逐漸式微之勢。望月三英憂慮日本無外科之書流傳，即便有書亦「横行不可讀也，其只象胥重譯，口授相傳而已」，因此充分肯定桃井碩水輯録衆多經驗良方編成《外科方彙》之舉，稱其「書雖是微，其用志亦勤矣」，於是「今嘉此舉，

❶ 薛清録：中國中醫古籍總目［M］.上海：上海辭書出版社，二〇〇七：六九七.

爲之序」。可見,《外科方彙》是一部不可多得的臨證外科方書,輯録衆多中醫外科及相關文獻中的内容,收録了大量專門針對外科疾病的有效良方,非常珍貴而具有學習借鑒價值。

孫清偉　蕭永芝

外科方彙 完

外科方彙序

余性癖而遊于書肆久矣。平安林元丘者。家世鬻書。相傳爲業。廛又在吳市。元丘樸素雅致。嘗嗜和歌。與家翁友善。是故每有奇書出。乃齎余令購。至今爲然。日者持一小冊子來。請題一言于卷首。余曰。嗚乎瘡瘍家之書亦博矣。而近世特貴于蠻夷之術。劣於古科之法。惟神驗微妙。非古科流亞所髣髴也。然憂無書傳。雖有。橫行不可讀也。其只象胥重譯。口授相傳而已。而視

今之所救療。蠻法治其外。古科治其內。所謂並行不相戾者乎。桃硯水今集其經驗之方。編爲袖珍。欲令以便藥籠之簡易。書雖是微。其用志亦勤矣。近時醫家寥寥未聞有述著者。書家亦讓讓無意于爲彫刻。今嘉此舉。爲之序。此亦癖焉耳。

寶曆辛巳之冬十月　江都醫官　望三英

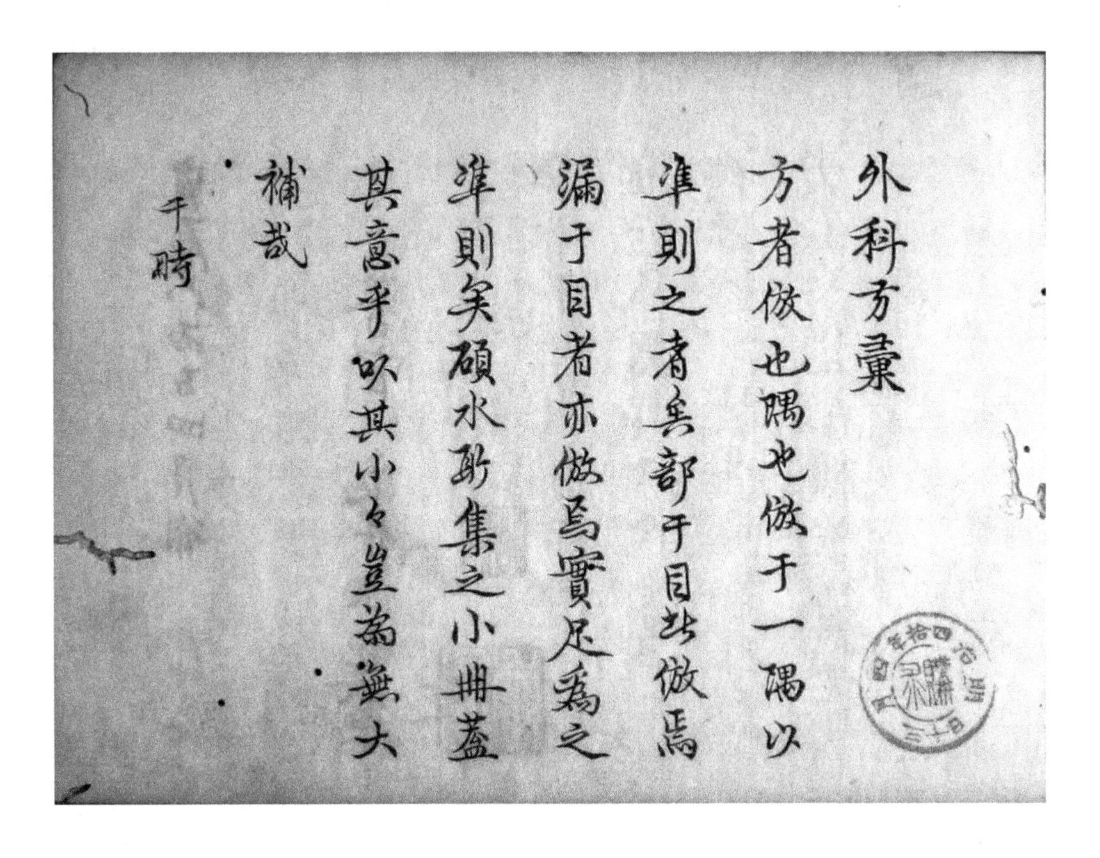

外科方彙

方者倣也隅也倣于一隅以準則之者矣部于目共倣焉漏于目者亦倣焉實足爲之準則矣頤水所集之小冊蓋其意乎以其小々豈爲無大補哉

于時

寶曆六丙子四月朔

醫官　淺井休伯序

叙

夫爲瘍醫也難乎。古云。治外較難于治內。何者。內之症則或不及其外。外之症則必根于其內。然則何有忽其內而可治其外之理乎。蓋瘍家服藥之良方萬千也。愚採揖其大槩而編小冊。以便日用。欲爲治內修外之一助而已。脊遺漏者俟後之補爾云。

時

元文戊午初夏望源碩水揮毫于櫻田艸舍

外科方彙

目次

外科方彙

江府　桃井碩水　輯

癰疽　附腫瘍發背　潰瘍

○腫瘍者癰疽初發壅腫而未見膿者也王宇泰云治瘡之大要須明托裏疏通行榮衛三法托裏者治其外之內疏通者治其內之外行榮衛者治其中用此三法之後雖未瘥必無變證亦可使邪氣峻減而易痊也

仙方活命飲　治一切癰疽疔不問陰陽虛實善惡腫潰大痛或不痛然當服於未潰之先與初潰之際如毒已大潰不可服仍用一劑大勢已退然後隨症調治一名眞人活命飲

金銀花　陳皮各三戔　乳香　沒藥
貝母　防風　白芷　皂角刺炒
赤芍　歸尾　甘草　穿山甲炮
天花粉各一戔　酒煎或水煎加酒

○在背俞倍皂刺○在腹膜倍白芷○在胸加瓜蔞仁○在四肢倍金銀花○如疔瘡加紫河車草根三戔如無亦可

內疏黃連湯　治癰疽腫硬悶而皮色不變色根係深大及嘔啘心逆發熱而煩六脈沈實有力此邪毒在內臟腑秘澁當急服此方以疏利之

木香　黃連　黃芩　山梔子　薄荷
桔梗　連翹　檳榔　當歸各一戔
大黃二戔　甘草五分　水煎服加蜜二匙亦可○外科集驗方有白芍藥

竇氏內疏黃連湯　治癰疽發背解毒補養氣血托裏排膿自無疼痛

人參　黃芪　白朮　當歸　川芎
芍藥　連翹　黃連　白芷　羗活
獨活　陳皮　防風　甘草　金銀花　水煎入竹瀝○若痰中有血加童便藕節汁○腦疽加荊芥

內托複煎散　治腫焮於外根盤不深形證在表其脈浮痛在皮肉恐邪氣盛則必侵於內急須內托以救其裡此方除

濕散欝熱使胃氣和平
黄芪 防風 地骨皮各二兩 人參
白术 茯苓 芍藥 當歸 防巳
黄芩 甘草各一兩 肉桂五錢
先以蒼术水煎去查入前藥再煎服
◯一方無當歸防巳肉桂有羌活
當歸黄芪湯 治瘡瘍臟腑巳行而痛不
可忍者 方即四物湯加黄芪地骨皮
◯如發熱加黄芩◯煩燥不能睡卧者
加山梔子◯嘔則是濕氣侵胃倍加白
术
托裏榮衛湯 治癰疽疔無名腫毒
人參 黄芪 紅花 蒼术 柴胡
連翹 羌活 黄芩 防風 當歸
甘草炙各一錢 桂枝七分 水酒各一鍾
神授衛生湯 治癰疽發背腦疽等一切
瘡症未成者即消巳成者即潰
防風 白芷 沈香 紅花 連翹
歸尾 石决明 金銀花 皂角刺
山甲炒 甘草 天花粉各一錢 乳香五分

二

大黄酒二錢 水煎服後隨飲酒一杯
内消沃雪湯 治發背併五臟内癰尻臀
諸腫大小腸癰肛門臟毒初起但未出
膿堅硬疼痛不可忍者
青皮 陳皮 乳香 没藥 貝母
連翹 黄芪 當歸 甘草 白芍
白芷 射干 花粉 山甲 銀花
皂角刺各八分 木香四分 大黄二錢
雙解復生散 治癰疽發背諸般腫毒初
起增寒發熱四肢拘急内熱口乾大小
便秘此藥發表攻裡
荊芥 防風 川芎 白芍 黄芪
麻黄去節 薄荷 山梔 當歸 連翹
滑石 人參 白术 羌活 金銀
花各八分 大黄 芒硝各二錢 甘艸五分
水煎◯表症甚者姜葱◯裏症甚者生
蜜三匙
内托羌活湯 治足太陽經生癰堅硬腫
痛大作左右尺脉俱緊按無力
羌活 黄栢酒各二錢 防風 藁本

連翹 當歸各一錢 肉桂三分 蒼朮 陳皮
甘艸炙各五分 黄芪一錢五分 水酒各
一盞煎○一方無甘艸

九味解毒散 治熱毒胎毒而發瘡瘍之
類未潰作痛者
黄連炒 芍藥 防風 甘艸各三分 連翹
金銀花各一分 當歸八分 山梔四分 白芷
六分 水煎服

托裡溫經湯 治寒覆皮毛鬱遏經絡不
得伸越熱伏榮中聚而赤腫痛不可忍
惡寒發熱或相引肢體疼痛
麻黄 白芷 當歸各二錢 防風 葛根
各三錢 升麻四錢 人參 蒼朮各一錢 白芍
甘艸炙各一錢五分 水煎先煮麻黄令沸熟
去沫再下餘藥同煎服得汗而散○
經驗全書有柴胡陳皮

內托黄芪酒煎湯 不令大熱上攻犯上
中二焦者
柴胡 黍粘子各一錢五分 連翹 肉桂
各一錢 黄芪 當歸各二錢 黄柏 甘艸

炙各五分 升麻七分 酒煎空心食消盡
服之

內托黄芪柴胡湯 隨癰疽所發分野用之
黄芪二錢 連翹一錢三分 柴胡 生苄各一錢 羌活
五分 肉桂三分 黄柏酒三分 土瓜根酒一錢
當歸七分半 酒一盞水三盞煎服

一方 腹上有小疽惡寒發熱此血少有
熱與此藥
赤芍 連翹各二錢五分 陳皮 黄芩
防風各二錢 木通一錢五分 白朮 川芎
各三錢 甘草五分 水煎服

復煎散 治癰疽發背
黄柏 黄芩 黄連 生苄酒洗 知母
各一錢 防巳 山梔 麥門 羌活
黄芪 獨活 人參 甘艸 當歸
二錢 五味子 陳皮 防風 蘓木
猪苓 藁本 連翹 桔梗各一錢五分
水煎服

精要十宣散 脈無力而緩者秋冬者宜
之

人參 當歸酒 黃芪各三兩 川芎 防風
厚朴姜 桔梗 官桂 白芷 甘草
各一兩 爲細末每服二錢加至六錢
止熱酒調下以多爲妙不飲酒者用木
香濃煎湯下

千金托裏散 治一切瘡腫發背
黃芪一兩 厚朴 防風 桔梗各二兩 木香
沒藥 連翹 乳香 當歸 川芎
白芷 芍藥 官桂 人參 甘草
各一兩 酒煎温服

托毒散 治癰疽初起高腫發痛不定喘
息氣粗者且脉無力而遲者陰證者大
寒之時宜之
附子炮 當歸 麻黃 龍胆 官桂
川芎 羌活 石韋 甘草
水一盞姜三片鹽少同煎

聖濟射干湯 治癰疽發背諸瘡腫痛脉
洪實數者
射干 犀角 升麻 玄參 黃芩
大黃 麥門各一兩 山梔半兩 芒硝 竹葉

各一錢 水煎以利爲度

托裏散 治一切惡瘡發背疔疽便毒始
發脉洪强實數腫甚欲作膿者
大黃 牡蠣 瓜蔞根 皂角針
朴硝 連翹各三錢 黃芩 赤芍各二錢
當歸 金銀花各一兩 水酒各半煎

瀉心湯 治瘡毒癰腫發躁煩渴脉實洪
數者
大黃四兩 黃連 山梔 漏蘆 澤蘭
連翹 黃芩 蘇木各三兩 犀角一兩 水煎服

清涼飲 治瘡瘍煩躁飲冷焮痛脉實大
便秘結小便赤澁
大黃炒 赤芍 當歸 甘草各二錢
水煎服◯熱毒積毒在内患瘡瘍大便
不通而欲痛作渴者加山梔炒三分 牛蒡
子炒四分

精要漏蘆湯 治腦疽癰疽毒盛實者
黃芪生 連翹 沈香 漏蘆 大黃
各一兩 粉草半兩 姜棗水煎服或爲
末姜棗湯下

內消升麻湯　治血氣壯實若患疽癰大小便不通

升麻　大黃各二兩　黃芩一兩　枳實炒

芍藥　甘草炙各一兩　水煎服

宣毒散　治一切毒瘡

大黃煨　白芷各五錢　水煎服○或爲細末用茶清調搽患處命名萬金散○薛立齋曰臟腑調和脉不實者不可用

內托散　治諸腫毒惡瘡

大黃　牡蠣各半兩　瓜蔞二枚　甘草三錢

水煎服

中和湯　治瘡屬半陰半陽似潰非潰似腫非腫此因元氣虛弱失補托所致

人參　陳皮各二錢　黃芪　白朮　當歸

白芷各一兩五錢　金銀花　茯苓　川芎

乳香　沒藥　皂角刺炒　甘草各一錢

水酒各半鍾煎服

解毒散　治癰疽始覺便宜服

升麻　朴硝　赤芍　犀角　木通

各一兩　石膏二兩　麥門　玄參　甘草一

五

各半兩　水煎服

生地黃散　治發癰腫熱毒疼痛心神煩悶

生芐二兩　大黃炒　升麻　地骨皮　當歸

黃芩　木通　赤芍　黃芪　玄參

甘草各一兩　赤茯苓一兩五錢

竹葉二七片　水煎服

托裏消毒散　治胃氣虛弱或因尅伐不能潰散服之未成即消已成即潰腐肉自去新肉自生

人參　黃芪鹽水拌炒　當歸酒　芍藥炒　川芎

茯苓　白朮各一錢　金銀花　白芷各七分

連翹　甘草炙各五分　水煎服

神效托裏散　治癰疽發背腸癰妳癰無名腫毒焮赤疼痛憎寒熱不問老幼虛弱並治之一名金銀花散

黃芪　忍冬各五兩　當歸一兩八錢　粉草炙八錢

水酒各一鍾煎服○忍冬景岳全書作金銀花

黃芪四物湯　血氣齊補

方即四物湯與四君子湯合方加黃芪
金銀花生姜水煎服

一方 治背上瘡脈洪大數午後惡寒發熱食少此方乃實内補虛托裏

連翹 黃芪 縮砂各三戔 人參二戔 白朮
甘艸炙各一戔 茯苓五分 水煎服

回陽湯 治脾腎虛寒瘡屬純陰或藥損元氣不腫痛不腐潰或腹痛泄瀉嘔吐厥逆或陽氣脫陷等症

乾姜炮 附子炮 當歸 陳皮 甘草炙各二戔
升麻各五分 人參 白朮 黃芪各三戔 柴胡
酒水煎服○不應者倍姜附

加味解毒湯 治癰疽大痛不止者

黃芪鹽水拌炒 黃連炒 黃芩同 黃栢同
連翹 當歸酒各七分 白芍 梔子炒
甘艸炙各一戔 水煎服痛即止

當歸和血散 治瘡瘍未發出内痛不可忍者

乳香半戔 沒藥一戔半 白芍藥三戔 當歸二戔

水煎服○瘡痒者加人參木香○婦人加赤芍

乳香止痛散 治一切瘡腫疼痛

粟殼六兩 白芷三兩 陳皮 甘草炙各一兩五戔
乳香 沒藥各一兩 丁香半兩 水煎服

乳香黃芪散 治一切惡瘡癰疽發背疔瘡疼痛不可忍者或未成者速散已成者速潰敗膿不假刀砭其惡肉自下及治打撲傷損筋骨疼痛

黃芪 當歸酒 川芎 麻黃 芍藥
人參 粟殼蜜炒 陳皮 甘艸各一兩 乳香
沒藥各五戔 水煎服

淨腋湯 治皮膚痒腋下瘡背上瘡耳聾耳鳴

麻黃 草蔻 防風 柴胡 蒼朮
黃芩酒各一戔 桔梗 生芐 甘草各五分
桂枝 羌活各三戔 當歸七分 升麻半分 連翹一戔半
紅花少許 水煎服

白芷升麻湯 治八風之變在經脈之中凝滯而爲癰

白芷 升麻 桔梗各一錢 黃芪炒 黃芩酒炒各二錢 黃連 紅花 甘艸炙各五分

水酒半鍾煎○一方有生芐當歸肉桂

連翹

清心湯 治瘡瘍腫痛發熱飲冷脉沈實譫語不寧

方即防風通聖散每料加黃連五錢

濟陰湯 治瘡屬純陽腫痛發熱

連翹 山梔炒 黃芩炒 黃連炒各一錢 芍藥一錢半 金銀花三錢 牡丹皮一錢二分 甘草一錢

水煎服○大便秘加大黃

玄參散 治癰腫始發熱毒氣盛寒熱心煩四肢疼痛

玄參 甘草各六兩 石膏二兩 前胡 川芎

枳實 人參 黃芪 赤芍 生芐

黃芩 赤茯各一兩 麥門六錢五分 竹葉二七片 小麥百粒

水煎服

連翹飲 治癰腫瘡癤排膿

連翹 防風各三兩 薺苨 白芍 黃芩

玄參各二兩 人參 茯苓 桔梗 前胡

七

甘艸炙各一兩 黃芪四兩 桑白皮炒一兩五錢

水煎服

內消散 治癰疽結硬疼痛

人參 瞿麥 白蘞 升麻 黃芩

防風 黃芪 沈香 當歸炒 甘艸各一兩 赤小豆一合煮熟 爲末每服二錢溫酒服

化毒爲水內托散 患癰疽發背對口惡疔瘡乳花百種無名無類反瘡比藥能令內消去毒化爲黑水從小便出萬不失一

乳香 白芨 山甲 銀花 知母

貝母 皂刺 花粉 半夏各一錢

酒煎服必不再服

保安湯 治瘡托裏或已成者速潰

瓜蔞一枚焙 沒藥一錢 金銀花 甘艸 生姜各半兩

酒煎服一口

秘方托裏散 治一應瘡毒始終常服不致內陷

瓜蔞一枚 當歸酒 黃芪鹽水拌炒 白芍 甘艸

各一兩五錢皂角刺炒　熟芐　花粉　金銀花
各一兩　用酒和藥入磁器厚紙封口用
重湯煮至藥香取出分服

歸芪湯　治癰疽無頭但腫痛
黃芪　當歸　瓜蔞　皂刺　銀花
甘艸各一錢　水一鍾半煎八分入乳香
酒再煎服

榮衛返魂湯　此一藥流注癰疽發背傷
折非此不能効至於救壞病活死肌弭
患於未萌之前拔根於既愈之後
何首烏　當歸　木通　白芷
赤芍藥炒　茴香炒　烏藥炒　甘艸
枳殼麩炒若惡心加姜汁炒　水酒湯使證用
之水酒相半亦可

當歸連翹散　治發背癰疽發腦發鬢發
髭又治腦虛頭暈風濕之症
當歸　連翹　山梔仁　金銀藤
芍藥各一兩　黃芩五錢　水煎溫服

一方　凡用內消先用此藥退潮熱止渴
解熱以升麻葛根湯表散後服

八

木通　瞿麥　荊芥　薄荷　白芷
連翹　芍藥　生芐·花粉　麥門
山梔　車前　甘草　燈心水煎○
潮熱加竹葉○老人氣虛者宜加當歸
羌活

加味十奇散　治癰發已成未成服內消
三五日不効或年四十已上氣血衰弱
成者速潰未成者速散
當歸酒　桂心　人參　川芎　白芷
防風　桔梗　厚朴姜　乳香　沒藥
甘草　右研末每服二錢酒調日
三服不飲酒者用木香湯

五香散　治陰陽之氣鬱結不消諸熱蘊
毒腫痛結核或似癰癤而非使人頭痛
惡心寒熱氣急
木香　丁香　沈香　乳香　藿香
水煎食後溫服

黃芪湯　治諸瘡退風熱
黃芪　黃芩　芍藥　麥門冬　甘草
炙各一兩五錢　生芐四兩　當歸焙　大黃炒　石膏

川芎 人參各一兩 半夏姜半兩 竹葉七片
水煎服
一方 治項疽脉實而稍大此因憂悶而
生太陽經治之
歸頭二錢 黃栢酒一錢五分 黃芪 羌活 地黄
酒黄芩酒炒 桔梗各一錢 連翹 黄連酒炒 防風
人參 陳皮 防已 澤瀉 甘艸
各五分 水煎服
一方 治發背癰疽惡毒◯
人參 黃芪 白术各五錢 陳皮一錢五分
水煎入竹瀝姜汁服◯腫瘍加當歸連
翹羌活◯潰瘍加芍藥川芎白芷甘艸
◯酒毒加黃連酒炒◯氣加炒香附子
◯痰加瓜蔞仁◯發熱加柴胡黃芩酒炒
◯渴加麥門天花粉◯惡心加半夏藿
香生姜◯解毒加金銀花甘艸節◯瀉
加蒼术白术◯在大陽上加姜活◯在
少陽上加柴胡◯在陽明經上加鼠粘
子白芷升麻
十奇散 治發背傷于腎者

九

桔梗 人參 芍藥 烏藥 枳殼
木香 香附 歸身 花粉 赤芍
水煎◯百節疼痛加木瓜牛膝芍藥◯
寒熱加柴胡黃芩◯囊腫加川練子拣
擲子
內托十宣散 治癰疽諸腫
人參 黃芪 白术 當歸 白芍
厚朴 白芷 川芎 連翹 官桂
桔梗 防風 荊芥 銀花 甘草
水煎◯虛甚加附子◯心神恍惚夜夢
不安加遠志辰砂酸棗仁◯大便溏泄
加黃連木香白术蒼术◯內陷不發加
穿山甲乳羊角燒灰◯小便頻數加薏苡
仁益智◯對口疽加白芍藥羌活
敗毒流氣飲 治癰疽發背
人參 乾葛 枳殼 桔梗 柴胡
防風 細辛 薄荷 川芎 羌活
芍藥 獨活 白芷 紫蘇 花粉
甘草 姜棗水煎服◯鬢疽加生地
黃當歸麥門鼠粘子◯項疽加當歸連

翹青皮去人參乾葛薄荷細辛花粉後服内托流氣飲

内托流氣飲

人參　木香　黄芪　厚朴　紫蘇
桔梗　檳榔　烏藥　枳殼　當歸
川芎　芍藥　白芷　官桂　甘艸

姜棗水煎○夏去官桂加參門○婦人加香附子○或熱加柴胡黄芩去桂○或痛加玄胡索五靈脂乳香○或瀉痢加附子人參白术澤瀉○胃氣不順加陳皮茯苓半夏山藥○嘔吐加藿香生姜○項疽毒去木香加柴胡防風○脇肚癰去白芷加天花粉防風○手心毒去桂加乳香防風○心肝癰去檳榔官桂加防風○腰痛加没藥玄胡索

參芪内托散　治癰疽發背無名毒腫

人參　黄芪炒　當歸酒　白术　陳皮
生芐酒　升麻　川芎　厚朴姜　羌活
甘草

水煎服○對臍毒加知母黄栢參門

十

神効托裏散　治癰疽發背腫毒骨痛增寒壯熱狀若傷風

黄芪　當歸　金銀花　甘草炙

酒煎温服

托裡十補散　治癰疽初起或已發邪高痛下瘡盛形羸脉無力者

黄芪　人參　當歸各二戔　川芎　桂心
白芷　防風　厚朴　桔梗　甘艸各一戔

水煎服○加芍藥連翹木香乳香没藥名托裏散

秘方拔毒散　治一切癰疽腫毒其功不可盡述

乳香　没藥　山甲炮　木鼈　當歸
連翹各一戔　大黄一生一熟各戔半　皂角刺炒　貝母各七分　瓜蔞實八戔　忍冬二戔　甘草炙五分

水酒煎服

四消散　治癰疽發背對口疔瘡乳癰百種無名腫毒一切反瘡

金銀花　知母　貝母　天花粉　川山甲
半夏　乳香　皂角針　白芨各一戔

水酒各一碗煎服

清熱消風散　治癰疽諸毒瘡腫已成未成之間外不惡寒內無便祕紅赤高腫有頭焮痛

防風　川芎　當歸　黃芩　白芍
花粉　銀花　甘草各五分炒　皂角　連翹
紅花　柴胡　蒼朮　陳皮　黃芪
各一錢　水煎服○婦人加香附子

托裡消毒散　治癰疽已成不得內消者宜服此藥以托之未成者可消已成者即潰腐肉易去新肉易生

人參　川芎　白芍　黃芪　當歸
白朮　茯苓　銀花各一錢　白芷　桔梗
皂角　甘草各五分炒　水煎服○脾弱者去白芷倍人參○一方無人參白朮茯苓芍藥甘草有防風厚朴川山甲天花粉陳皮酒水煎

乳香黃芪散　治癰疽發背諸毒疔瘡疼痛不可忍者

乳香　沒藥各五分炒　黃芪　粟殼蜜炒　人參

土

陳皮　川芎　歸身　白芍　熟芐
甘草各一錢　水煎服

神功內托散　治癰疽腦項諸發等瘡至十四日後當腐潰流膿時不作更兼瘡不高腫脈細身凉者

當歸　白芍　茯苓　陳皮　川芎
附子各一錢　白朮　黃芪　人參各一錢半　木香
甘草炙各五分　山甲炒八錢　煨薑棗水煎

透膿散　治癰疽諸毒內膿已成不穿破者

黃芪四錢　山甲炒一錢　皂角針一錢半　川芎三錢
當歸二錢　水煎臨服入酒一杯亦好

回陽三建湯　治陰疽發背初起不疼不腫不熱不紅硬若牛皮堅如頑石十日外脈細身凉肢體倦怠皮如鼈甲色似土硃粟項多生孔孔流血根腳平散軟陷無膿又皮不作腐手熱足凉者俱急服之

附子　人參　黃芪　當歸　川芎
茯苓　枸杞　陳皮　萸肉各一錢　木香

紫草　厚朴　蒼术　紅花　獨活
甘草各五分　煨姜三片皂角樹根上白
皮二錢　水煎臨服入酒一杯
仙傳化毒湯　治癰疽發背乳癰一切無
名腫毒初起服之立消
防風　白芍　茯苓　貝母　黄芩
連翹　白芷　甘艸各二錢　乳香　没藥
各五分　花粉　銀花各一錢二分　半夏七分
水煎加酒
追風通氣湯　治癰疽發背腦疽流注腫
毒救壞病活死肌弭患於未崩之前拔
根於既愈之後兼治打破傷折痂氣血
疝脚氣等
當歸　木通　赤芍　白芷　小茴
烏藥　枳殼　何首　甘艸
水酒各半煎○氣血盛者減當歸多則
生血發于他所○癰疽在上者去木通
恐導虛下元○癰疽胃寒生痰加半夏
又欝而成風痰加桔梗生姜○流注加
獨活○有潮熱加升麻蘇葉○頭痛加

士
川芎姜葱○腫毒堅硬不穿加川芎獨
活麻黄葱白○打傷折在頭上去木通
加川芎陳皮○經腰痛加萆薢玄胡○
脚氣加木瓜檳榔穿山甲
千金漏蘆湯　治一切惡瘡腫毒丹瘤瘰
癧疔腫魚睛五發癰疽初覺一二日便
如傷寒頭痛煩渴拘急惡寒肢體疼痛
四肢沈重恍惚悶乱坐卧不寧皮膚壯
熱大便閉結小便赤黄並治
漏蘆　白斂　黄芩　麻黄　枳實
升麻　芍藥各一兩　大黄二兩　芒硝一兩　連翹
甘草炙各一兩　生姜水煎服○集驗方
無連翹○一方無芍藥
五香連翹湯　治一切積熱結核瘰癧癰
疽瘡癤等
連翹　射干　獨活　寄生　升麻
丁香　木香　沈香　麝香　甘草
各一兩　乳香　木通各二兩　大黄一兩半　或除麝
香水煎以利爲度○一方有芒硝竹瀝
十六味流氣飲　治無名惡腫癰疽等疾

未成速消已成速退疼痛漸減此表裏
氣血藥也非脉洪緩沈遲緊細者不宜
用
人參　當歸　官桂錢半　川芎　腹皮
防風　白芍　桔梗　白芷　黃芪
厚朴　木香　烏藥　枳殼　紫蘇
甘草錢各一　水煎服◯一方有皂角刺
檳榔無大腹皮◯不退熱加茯苓白朮
地黃◯不進飲食加香附砂仁◯疼痛
加乳香没藥◯水不乾加知母貝母◯
瘡不穿加皂角刺◯大便閉加大黃枳
殼◯咳嗽加陳皮枳殼半夏杏仁生姜
◯小便閉加麥門車前木通滑石燈草
◯瘰癧加羌活連翹夏枯艸青皮柴胡
黃芩◯螻蛄三串太人參當歸黃芪木
香腹皮加木風香附川練子姜棗水煎

清熱消毒飲　治癰疽陽症腫痛發寒熱
作渴等症
銀花二錢　當歸　黃連炒　山梔炒　連翹錢各一
芍藥炒　川芎　生芐各一錢半　甘草

水煎服

托裏散　治癰疽氣血虛不能起發腐潰
收斂或惡寒發熱肌肉不生
方即異功散加黃芪當歸熟芐白芍藥
甘艸

荊防敗毒散　治癰疽疔腫發背乳癰等
症增寒壯熱甚者頭痛拘急狀似傷寒
一二日至四五日者一二劑即衰其毒
輕者內自消散
防風　荊芥　羌活　獨活　柴胡
前胡　薄荷　連翹　桔梗　枳殼
川芎　茯苓　銀花　甘艸
姜水煎◯熱甚痛急加黃連黃芩

千金內托散　治癰疽瘡癤未成者速散
已成者速潰敗膿自出無用手擠惡肉
自去不用刀針服藥後疼痛頓減此藥
活血匀氣調胃補虛祛風邪辟穢氣力
王道之劑宜多服
人參　黃芪蜜　當歸酒各二錢　川芎
防風　桔梗　白芷　厚朴姜　官桂

甘艸各一戔　水煎加酒温服或金銀花
加紫草木香入糯米一撮名人參内
托散○癰疽痛倍白芷○不腫痛倍官
桂○餘症同十六味流氣飲加減○腕
疽加陳皮赤芍木香○蓮子發背多倍
人參黄芪○一方無桔梗

忍冬酒　凡癰疽發背初起時便當服此
忍冬藤五两　甘草一两　水五碗煎至
一碗再加無灰酒煎服

蠟凡丸　一切症服此能衛護内膜驅解
諸毒自然消解及惡毒瘡腫遍身等惡
症治之
明礬末一两　黄蠟七戔
右溶蠟下蜜一匙少温入礬末手拌匀
丸如桐子大每服五十丸温湯下病甚
者早晚二次○貴人加木香○富人加
沈香○平人加紫蘇葉俱爲末爲丸○
外科正宗方有雄黄二戔琥珀硃砂各一戔

護心散　治癰疽發背諸毒
菉豆粉二两　乳香五戔

古

右和匀甘草湯調下

托裏益氣湯　治癰腫硬肉色不變或晡
熱或潰不斂并一切血氣内症
白术二戔　人參　芍藥　茯苓　貝母
陳皮　香附　熟芐　當歸各一戔　桔梗
甘艸各五分　水煎服○口乾加五味
子麥門○寒熱往來加紫胡地骨皮○
朧清加黄芪○朧多加川芎○肌肉遲
生加白斂肉桂

參芪托裏散　治瘡瘍氣血俱虚不能起
發或腐潰不能収斂及惡寒發熱者
人參氣虚多用之　黄芪炒　白术炒　當歸
熟地　芍藥酒炒　茯苓　陳皮各一戔
右水煎服

神効酒煎散　治一切瘡瘍能托散毒其
效如神
人參　沒藥別研　當歸尾各一两　甘草
三戔　括蔞一個半生半炒　右以酒三碗煎二
碗分四服或為末酒糊丸每服五十丸
用酒下

黄芪建中湯 内托癰疽諸毒

黄芪蜜炒 肉桂各三兩 甘草炙二兩 芍藥六兩

右每服一兩姜棗水煎服

連翹消毒散 治癰疽實熱諸證亦名清涼飲亦即局方涼膈散

連翹一兩 山梔子 大黄 薄荷葉 黄芩各五戔 甘草一兩半 朴硝二戔半

右每服一兩水煎温服

瓜蔞托裏散 治瘡瘍毒盛者未成則易消已成則易潰既潰則生肌

黄瓜蔞一個杵碎 忍冬藤 乳香各一兩 蘇木五戔 没藥三戔 甘草二戔

右用酒三碗煎二碗空心日午臨睡分三服〇或以此為末酒糊丸彈子大硃砂為衣細嚼用當歸酒送下治打撲損傷尤妙

萬金散 治癰疽已潰未潰者有消毒破血之功

括蔞一個杵碎 没藥一戔研 大甘草節二戔

右用酒二碗煎一碗去租後入没藥服

梅花飲子 癰疽初起服之可防毒氣内攻

川芎 乾葛 黄芪 烏梅 天花粉 蘇木 甘艸各一兩 忍冬藤四兩

右水煎服

地骨皮散 治瘡瘍氣虚内熱煩渴不寧

人參 黄芪 生地黄 地骨皮 柴胡各一戔半 白茯苓 石膏 知母各一戔

右水姜煎服

拔毒散 治一切癰疽腫毒

乳香 没藥 當歸 川山甲炮 木鱉子 連翹各一戔 甘草炙五分 貝母 牙皂炒各七分 瓜蔞仁八分 大黄生熟各一戔半 忍冬藤二戔

右水酒各一鍾煎一鍾食前服已潰者大黄不可用恐泄其真氣難斂也

潰瘍

○潰瘍者癰疽已破膿出者是也集驗云癰疽既破膿出肉腐當用拔毒膏貼之邪氣漸退氣血亦虛脉之洪數漸宜減退當內補托裏必使氣血滋正氣强盛膿色鮮濃赤腫漸収藥宜補氣生血秋冬微加禦風寒之藥矣

托裏當歸湯　治潰瘍氣血俱虛瘡口不歛或哺熱內熱寒熱往來或婦人諸瘡經候不調小便頻數大便不實等症但瘡瘍氣血虛而發熱皆宜服之

人參　黃芪　當歸　川芎　芍藥　熟苄各一錢　柴胡　甘草各五分　水煎服

當歸黃芪湯　治症已行臟腑而痛不可忍者

方即四物湯加黃芪地骨皮○發熱加黃芩○煩燥不能臥加山梔○嘔逆乃濕氣侵胃加白朮

托裡健中湯　治瘡瘍元氣素虛或因凉藥傷胃飲食少思或作嘔瀉等

人參　白朮　茯苓各二錢　乾姜炒　半夏各一錢　黃芪一錢五分　肉桂三分　甘艸炙五分

姜棗水煎○正宗無黃芪肉挂有熟附子八分

護壁都尉　治諸發已潰去舊生新老人氣血虛弱宜補之此潰後服至愈而止

防風　厚朴　姜黃　黃芪炙　桔梗　白芷各半兩　人參二錢　當歸　川芎　柳桂　甘草各三錢　右為末每服二錢空心溫鹽酒調服若不飲酒者以木香湯服

加味十全湯　治癰疽潰後補氣血進食

依本方加陳皮烏藥五味子姜棗水煎服方即十全大補湯

六神散　諸瘡血出過多而心煩不安不得睡臥此怱心也

生苄　熟苄　當歸　川芎各一錢三分　人參　黃芪各五分　水煎服

人參散　治癰疽內虛不足

人參　白朮　白茯　拘杞子各一兩　黃芪　熟苄各二兩　白芍　當歸微炒

桂心　甘草炙各半兩　姜棗水煎

麥門冬湯　治癰疽潰後膿水不絕

麥門　黃芪　人參　白茯　官桂

當歸焙　遠志　川芎　五味子各一兩

甘草炙七錢五分　姜棗水煎

梔子湯　治潰瘍大發熱不已

柴胡　甘草各一兩　漏蘆　山梔子　連翹

黃芩　防風　人參各二錢　茯苓　黃芪

各二錢五分　水煎服

加味四七湯　治潰瘍喘嗽多痰

紫蘇　白茯　半夏各五錢姜汁浸炒　枳實

厚朴　桑白各三錢　木香　甘草各二錢

姜煎服

健脾散　治潰後痞滿不食

蓮肉　砂仁各四錢　香附　藿香　茯苓

陳皮　山藥　蒼朮各三錢　木香一錢　甘草

炙二分　姜棗水煎

加味治中湯　治潰後泄瀉不止

依本方加青皮訶子茯苓砂仁半夏

黃芪散　治癰疽潰後補虛去客熱

七

黃芪　石膏各三兩　知母　麥門　人參

桂心　白芍　白茯　熟芐　升麻

各一兩　甘草炙半兩　水煎服

沈香散　治癰膿潰已絕肌肉內虛尚有

餘熱

沈香　柴胡　黃芪　麥門各一兩　熟芐

二兩　白朮半錢　黃芩　瓜蔞根　甘草

各半兩　右竹葉七片　小麥五粒　水煎服

加味逍遙散　治肝脾血虛內熱發熱或

遍身搔痒寒熱或肢體作痛頭目昏重

或怔忡頰赤口燥咽乾或發熱盜汗食

少不寐或口舌生瘡耳內作痛或胸乳

腹脹小便欠利

甘草炙　當歸　白芍酒　白朮　茯苓

各一錢　柴胡酒五分　山梔仁炒　牡丹皮各八分

姜水煎

加味二陳湯　治癰疽疔腫發渴惡心胸

滿○依本方加連翹羌活枳殼黃連炒

鼠粘天花粉香附子砂仁竹瀝姜汁和

服

梔子黃芩湯 治發背癰疽潰後因飲食有傷調攝不到發熱不住

漏蘆 連翹 山梔 黃芩 防風 石葦（無以桑白皮代） 犀角 人參 苦參 茯苓 甘草（各二戔五分） 黃芪（一兩） 水煎服

托裏黃芪湯 治癰疽大渴發熱或瀉或小便如淋

黃芪（六戔炒） 甘草（炙） 瓜蔞根（各一戔） 水煎服○加人參一戔尤妙○景岳全書瓜蔞根作天花粉

托裏養榮湯 氣血俱虛或膿血大泄作渴或兼發熱者宜之

人參 黃芪（炙） 當歸（酒） 芍藥（炒） 川芎 熟芐 白朮 麥門（各一戔） 五味子 甘草（炙各五分） 姜棗水煎

黃芪六一湯 潰後虛汗常服終身可免癰疽實治渴補虛之要劑

綿黃芪（六兩用鹽水潤飯上蒸焙乾） 甘草（一兩半生半炙） 水煎食遠溫服○加人參尤妙

竹葉石膏湯 治癰疽胃火盛腫痛作渴者

淡竹葉 石膏 桔梗 木通 薄荷 甘草（炙） 姜水煎服

內補黃芪湯 治潰瘍膿水出多或過服敗毒之劑致氣虛血弱發熱無寐或兼盜汗內熱或不生肌

黃芪（一戔炒） 人參 白朮（炒） 茯苓 陳皮 當歸（各一戔半） 酸棗仁（一戔炒） 五味子 甘草（炙各五分） 水煎溫服

玄參散 治癰疽成膿水不能下食心煩口乾煩渴飲水多四肢羸瘦

玄參 黃連 土瓜根 麥門 赤芍 白蘚皮（各一兩） 升麻（一戔半） 朴硝 大黃（炒） 火麻仁（各一兩半） 生芐（一分） 水煎溫服

葛根散 治癰腫熱盛口乾煩渴或時乾嘔

葛根 黃芪 麥門 瓜蔞根 升麻 生芐 赤芍 梔子（各一兩） 黃芩（一戔半） 甘艸（半兩） 水煎溫服

五味子湯 治腎水枯涸口燥舌乾

黃芪炒三兩 人參二兩 五味子 麥門各一兩

甘草炙五分 水煎服

加味四君子湯 治潰瘍嘔吐心悶

依本方加陳皮砂仁厚朴白豆蔻

橘半胃苓湯 治癰疽嘔吐不下食不知

味○方即胃苓湯去肉桂猪苓加半夏

一錢茅根二錢

托裏益中湯 治中氣虛弱飲食少思或

瘡不消散或潰而不斂

方即異功散加炮姜一錢 木香五分

托裏抑青湯 治脾土虛弱肝木所侮以

致飲食少思或胸膈不利等證

方即異功散加半夏芍藥柴胡

托裏清中湯 治脾胃虛弱痰氣不清飲

食少思等證

方即異功散加半夏桔梗○外科正宗

有五味子麥門

托裏益黃湯 治脾土虛寒水反侮土以

致飲食少思或嘔吐泄瀉等證

方即異功散加半夏丁香炮姜

丸

托裏越鞠湯 治六鬱所傷脾胃虛弱飲

食少思等證

人參 白朮各二錢 陳皮 半夏各一錢 山梔

川芎 香附 蒼朮各七分 甘草炙五分

姜棗水煎服

麥冬散 體熱煩渴不止

黃芪 黃芩 麥門各一兩 赤芍藥

升麻 赤茯 玄參 當歸 知母

花粉 甘草各一兩 生地三兩 水煎服

○熱甚加竹葉灯心○一方無玄參當

歸有人參棗肉

柿蒂湯 發呃連聲不絕神思疲倦至七

八敷相連收氣不回者難治

方即二陳湯加丁香山梔子人參柿蒂

良姜黃連竹茹○虛人加知母黃栢

十全大補湯 治潰瘍發熱或惡寒或作

痛或膿多或清或自汗盜汗及徧身流

注瘰癧便毒諸瘡久不作膿或膿成不

潰潰而不斂等證

人參 黃芪 白芍 肉桂 川芎

熟芐　當歸　白术　茯苓各一錢
甘草炙錢　姜枣水煎○若氣血不足
結腫未成膿者加陳皮半夏香附子連
翹○一切潰後多服生肌長肉益氣滋
血依本方去肉桂加生芐金銀花防風
陳皮山藥知母黃栢澤瀉升麻○秋冬
天加厚朴蒼术肉桂○春夏天加麥門
冬青皮山梔仁黃芩黃連

八珍湯　治潰瘍諸症調和榮衛順理陰
陽滋養氣血進美飲食和表裏退虛熱
為氣血俱虛之大藥也
方即前方去黃芪肉桂

補中益氣湯　治瘡瘍元氣不足四肢倦
怠口乾發熱飲食無味或飲食失節或
勞倦身熱脉洪大而無力或頭痛而惡
寒或聲高而喘身熱而煩者
黃芪一錢五分　人參　白术　當歸
甘草一錢炙各　升麻　柴胡　陳皮各三分
姜枣水煎○癰疽背發諸瘡出膿潰爛
日久不愈飲食少思身體倦怠口舌燥

或寒熱往來驚悸少睡者去柴胡加蒼
术麥門神麯五味子黃栢○瘡肉生遲
加白斂肉桂○如膿多或清倍黃芪人
參當歸白术○脾虛下陷溏泄及肛門
墜腫加五味子山茱萸山藥

人參養榮湯　治潰瘍發熱惡寒或四肢
倦怠肌肉消瘦面色委黃吸吸短氣飲
食無味不能收斂或氣血原不足不能
收斂若大瘡愈後多服之不變他症
白芍一錢五分　人參　陳皮　黃芪蜜炙
桂心　當歸酒　白术　甘草各一錢
熟芐酒　五味子炒　茯苓炒各八分　遠志炒五分
姜枣水煎

收功萬全湯　治癰疽潰後須當大補氣
血和脾胃托毒外出實為切要
方即十全大補湯依本方加陳皮防風
白芷○作渴加麥門五味子○煩燥加
生芐麥門○有痰加半夏○泄瀉加厚
朴○小便不利加澤瀉○怔忡不寐加
遠志酸棗仁○胸膈不寬加厚朴山查

○癰疽潰後不長肌肉不合者宜之

托裏温中湯　治癰疽陽弱陰寒脈虚身冷或瘡為寒變反致不疼或膿水清稀心下痞滿腸鳴腹痛大便溏泄氣短嘔逆神思昏憒等證

白术　茯苓　木香　丁香各参　半夏
陳皮　羌活　乾姜炮　益智　人參
白蔻　甘草各一錢炙　附子二錢炮

姜棗水煎忌一切冷物○經驗全書有香附子四分炙○集驗方無人參白术茯苓白豆蔻有沈香茴香

排膿內托散　治癰疽腦項諸發等瘡已潰流膿時宜服此藥

當歸　白术　人參各二錢　川芎　白芍
黃芪　陳皮　茯苓各一錢　香附　肉桂各八分
甘草五分炒　姜水煎○頂上加白芷○胸上加桔梗○下部加牛膝

人參黃芪湯　治潰瘍虛熱不睡少食或膿血大泄敗臭痛甚者

人參　白术　蒼术　陳皮　麥門
當歸　神麴　五味子　甘草炙各一　升麻
黃栢炒各三分　黃芪二炙　姜棗水煎服

○回春無五味子神麴甘草

竹葉黃芪湯　治癰疽氣血虛胃火盛而作渴

黃芪　當歸酒　麥門　川芎　黃芩
芍藥炒　人參　半夏　石膏煅　生芐
甘草　竹葉　姜水煎○經驗全書無半夏○瘍科準繩有括蔞根無半夏

內補黃芪湯　治癰疽發背諸瘡已破後虛弱無力體倦懶言精神短少飲食無味自汗口乾脈濇不睡

黃芪鹽水拌炒二錢　人參　茯苓　川芎
歸身酒　白芍炒　熟芐酒　肉桂　遠志炒
麥門各一錢　甘草五分炒　姜棗水煎服

參苓白术散　治潰瘍泄瀉腸鳴胃虛嘔逆者

依本方加荳蔻山藥木香柿蒂

四君子湯　血虛晡熱內熱者

依本方加當歸地黃牡丹皮

托裏和中湯　治癰疽中氣虛弱飲食少思不消潰不斂者

方即異功散加半夏煨姜木香

托裏建中湯　治癰疽元氣素虛或因寒凉傷脾損胃飲食少思凡食無味或作嘔泄瀉等症

方即四君子湯加半夏乾姜熟附子姜棗水煎

東垣聖愈湯　治潰瘍膿水出多氣血虛極脉細空而無力以致心煩不安眠睡不寧或五心煩燥等症王宇泰云癰疽出血不止者主之

熟苄　生苄各三钱　川芎二钱　人參　當歸各一钱五分　黄芪鹽水炒五分　水煎服

保元大成湯　治潰瘍元氣素虛精神怯弱或膿水出多神無所主以致睡臥昏倦六脉虛細足冷身凉便溏或秘胸膈或寬不寬舌雖潤而少津口雖食而無味脉弦不緊肉色微紅總由不足大補纔是

人參　白朮　黄芪蜜水拌炒各二钱　白芍　茯苓　陳皮　歸身　附子　山萸肉　五味子　甘草炙各一钱　木香　砂仁各五分　煨姜三片　大棗三枚　水煎食遠服服至精神回手足暖脾胃醒肉色紅為度

清震湯　治潰瘍脾胃虛弱或怏傷生冷或氣惱勞役或入房夢遺致火邪乘入中脘乃生呃逆

陳皮　半夏　茯苓　人參　益智　香附各一钱　柿蒂廿四个　澤瀉三分　甘草一钱　姜棗燈心水煎服〇手足冷者加熟附子一钱〇如身熱口乾便燥火呃者加黄連五分

醒脾益胃湯　治潰瘍脾胃虛弱過傷飲食生冷以致胸膈不寬四肢面目浮腫及小水不利等症

方即四君子湯去甘草加半夏山藥陳皮各一钱　蒼朮厚朴澤瀉山查子蓮子猪苓麥芽木香各五分　老黄米炒黄一钱　姜燈心水煎

托裏定痛散　治癰疽潰後血虛疼痛不可忍者

方即四物湯加乳香沒藥肉桂各一錢粟殼泡去筋膜蜜炒二錢○瘍科準繩無芍

神應異功散　治潰瘍陰盛陽虛發熱作渴手足並冷脈虛無力大便自利至飲沸湯而不知其熱者

方即異功散去甘草加木香肉桂當歸各一錢半夏丁香豆蔻附子厚朴各五分姜棗水煎服

六君子湯　治脾胃虛弱或寒涼伐膿痛不消或不潰斂宜服此湯以壯榮氣○惡心嘔吐或飲食不思等症加藿香砂仁

四物湯　瘡瘍時或愈後口鼻吐衄牙宜齦露皆因瘡瘍出血虛火動而錯經妄行當求經審其因而治之

依方本加山梔牡丹皮白朮黃芩

四物湯　潰瘍間有血分虛熱者瘡口肉色必赤

依本方加山梔連翹

托裏內補散　治一切惡瘡潰爛出膿之後宜服之

方即四君子湯加當歸酒川芎白芍白芷防風黃芪官桂金銀花

獨參湯　治潰瘍膿水出多氣血虛極或惡寒或發熱或自汗冷汗或手足指甲青冷或身凉脈細並宜

內塞散　治陰虛陽邪湊襲患膿或潰而不斂或風寒襲於患處血氣不能運行久不能愈遂成漏證

附子童便浸炮　肉桂去皮　赤小豆　炙甘草　黃芪鹽水炒　當歸拌酒　茯苓　白芷　桔梗炒　川芎　人參　遠志去骨　厚朴制各一兩　防風四錢　右為末每服二錢空心溫酒下或酒糊丸鹽湯下或煉蜜為丸亦可

黃芪人參湯　治潰瘍虛熱無睡少食或穢氣所觸作痛

黃芪鹽水炒二錢　人參　白朮　蒼朮米泔浸炒

當歸酒拌　麥門冬　五味子炒各一錢　甘艸炙
升麻　神麴炒　陳皮各五分　黃栢酒炒三分
水二鍾薑三片棗一枚煎服
參朮薑附湯　治瘡瘍真陽虧損或誤行
汗下或膿血出多失於補托以致上氣
喘急自汗盜汗氣短頭暈泄瀉
人參　附子炮去皮臍各一兩　乾姜炮
白朮各五錢　右作二劑水煎服
附子八物湯　治瘡瘍陽氣脫陷嘔吐畏
寒泄瀉厥逆
附子炮　乾姜炮　芍藥炒　人參　炙甘艸
茯苓各一錢　白朮二錢　肉桂一錢
右水煎食遠服
四物湯　治脾腎虛寒瘡屬純陰或藥損
元氣不腫痛不腐潰或腹痛泄瀉嘔吐
厥逆及陽氣脫陷等證
人參　白朮　黃芪各三錢　乾姜炮　陳皮
附子炮　甘草炙　當歸各二錢　柴胡　升麻
各五分　右酒水煎服
○如不應加薑附

附子理中湯　治瘡瘍脾胃虛寒或誤行
攻伐手足厥冷飲食不入或腸鳴腹痛
嘔逆吐瀉

發背

○竇漢卿云發背之生積毒臟腑正氣盛淹留停緩元氣虛朝輕夕重如發弓矢外小内大内托則生敗毒則斃治法以參芪為主此症六氣七情或因飲食而感其毒積于脾肚之間用藥先消脾中之毒内外夾攻斯無患矣○申斗垣云膿稠者厚氣實膿清者元氣虛也黃赤者順也黑腐者逆也開潤展大者毒甚也

酒煎散　治發背因毒内攻其毒與好肉一般平者用手按之如牛頸之皮上有黃泡出腥水乃毒入于肺者君不速治即死

當歸　白芷　升麻　肉桂　木香
川芎　赤芍　山甲炮　甘草

・酒煎服

加味麻黃桂枝湯　形實色黑脊生紅腫胛骨下痛脈浮數而洪緊食則嘔宜之

附子　羌活　人參　青皮　白术

廿五

山藥各一錢　瓜蔞仁一錢五分　半夏　甘草節各六分

姜水煎服○冬加黃柏

開胃散　治發背寒氣入胃不欲飲食者

砂仁　枳殼　陳皮　茯苓　肉桂
藿香　厚朴　甘草　水煎服

四君子湯　發背肉白而不斂脾虛也

依本方加木香芍藥酒

四物湯　發背晡熱内熱或不收斂陰血虛也

依本方加人參白术○發背肉赤而不斂血熱也依本方加山梔子連翹

補中益氣湯　發背食少體倦或不收斂脾氣虛也方見潰瘍

依本方加茯苓半夏

仙方活命飲　治黃瓜癰發背側疼痛引心四肢麻木是也方見腫瘍

依本方加羌活柴胡

黃連解毒湯　治酒毒發疽由飢飽勞傷炙煿厚味所致方見疔瘡

依本方加羌活乾葛

托裏溫中湯　前症有因寒變而內陷者
用之方見潰瘍
仙方活命飲　治龍疽發九椎兩旁忽腫
痛而無頭寒熱大作方見腫瘍
依本方加羌活柴胡黃芩○蜂窠疽起
心愈狀如蜂房平塌寒熱痛楚殊甚飲
食少進者依本方加人參白朮黃芪當
歸兼以烏藥青皮木香
人參內托散　治發背癰疽
方即異功散加黃芪當歸白芍藥川芎
黃芩黃連蒼朮香附子枳實桔梗青皮
烏藥防風升麻天花粉白芥子厚朴
右姜砂仁末五分水煎臨服加竹瀝姜
汁酒半杯和服之
黃芪湯　治一切瘡腫癰疽
黃芪　當歸酒洗各一兩　大黃　芍藥　陳皮
甘草炙各五錢　姜水煎服
五香湯　治諸瘡毒氣入腹者
丁香　木香　沈香　乳香各一兩
麝香三錢　水煎服○嘔者去麝香

共

加藿香○渴者加人參一兩
定痛托裡散　治一切瘡腫疼痛不可忍
如年少氣實先用疏利後服此
粟殼炒二兩　川芎　當歸　白芍　乳香
沒藥各一錢五分　官桂一錢　水煎服
瞿麥散　治癰疽發背排膿止痛利小便
桂心　赤芍　當歸　黃芪　川芎
瞿麥　白蘞　麥門各等分　赤小豆一合酒浸炒乾
酒煎溫服○諸癰已潰未潰瘡中膿血
不絕痛不可忍加細辛薏苡白芷白蘞
千金消毒散　治一切惡瘡無名腫毒發
背疔瘡便毒初發脈洪數強實腫甚欲
作膿者
連翹　黃連　赤芍各二錢　金銀花
歸尾各一兩　牡蠣　大黃　天花粉　芒硝
皂角各三錢　水酒各半煎
消毒潰堅湯　治八法癰腫癧瘰惡節乳
癰腦疽等症
黃芪二錢　黃連　黃柏俱酒炒　羌活各一錢
生芐　防已俱酒洗　枳殼炒　豬苓　桔梗

麥門　五味子　人參　山梔仁姜汁拌炒
連翹　陳皮　澤瀉炒　甘草各五分
水煎服

瘡疽七惡之治法彝巳

○若大渴發熱或泄瀉淋閟者邪火內淫一惡也竹葉黄芪湯○氣血俱虛八珍湯加麥門冬五味子黄芪山茱萸○如不應佐以加減八味丸煎服

○若膿血既泄腫痛尤甚膿色敗臭者胃氣虛而火盛二惡也人參黄芪湯○如不應用十全大補湯加麥門冬五味子

○若目視不正黑睛緊小白睛青赤瞳子上視者肝腎陰虛而目系急三惡也六味丸料如或陰中有火加山梔炒麥門五味子○如不應用八珍湯加山梔炒五味麥門

○若喘麤短氣恍惚嗜卧者脾肺虛火四惡也六君子湯加大棗生姜○如不應用補中益氣湯加麥門五味子○心火刑尅肺金人參平肺散○陰火傷肺六

味丸加五味子煎服

○若肩背不便四肢沈重者脾腎虧損五惡也補中益氣湯加山茱五味子山藥○如不應用十全大補湯加山茱萸山藥五味子

○若不能下食服藥而嘔食不知味者胃氣虛弱六惡也六君子湯加木香砂仁○如不應急加附子

○若聲嘶色敗脣鼻青赤面目四肢浮腫者脾肺俱虛七惡也補中益氣湯加大棗生姜○如不應用六君子湯加炮姜○更不應加附子或用十全大補湯加附子炮姜

○若腹痛泄瀉咳逆昏憒者陽氣虛寒氣內淫之惡證也急用托裏溫中湯後用六君子湯加附子或加姜桂溫補之此七惡之治法也

○若有調攝失宜悞飡冷物忽變為陰者急投托裏溫中湯十二味異功散輕者十全大補湯倶倍加人參黄芪肉桂附

于以救之○若膿出而反痛者氣血虛也八珍湯○不作膿不潰陽氣虛也四君加歸芪肉桂○惡寒憎寒陽氣虛也十全大補加薑附○欲嘔作嘔胃氣虛也六君加炮薑○食少體倦脾氣虛也補中益氣加茯苓半夏○欲嘔少食脾胃虛也人參理中湯○腹痛泄瀉脾胃虛寒也附子理中湯○小腹痞足脛腫脾腎虛也十全大補湯加山茱山藥肉桂○泄瀉足冷脾腎虛寒也前藥加桂附

疔瘡 附痘疔

○竇漢卿云此症大抵多由恣食厚味卒中飲食之毒或四時不正之氣或感蛇蟲之毒或疫死牛馬猪羊之毒或人汗入肉而食之皆生疔瘡也

内托連翹散 疔瘡出時皮色不變及不疼痛按搖不動身發寒熱便是此瘡有水疔魚臍疔紫燕疔火疔諸般疔瘡如瘡黃於黃上用針刺仍服之自然消散

連翹 白芷 生芐 赤芍藥各一两
大黃 山梔 薄荷各七戔 黃芩半两
朴硝二两 甘艸一两半 燈心竹葉水煎服

○其人喘加人參少許○如服了心煩嘔用不二散止之○甘草半两 菉豆粉一两 為末作二服酸虀水下

防風當歸湯 治疔瘡發熱大便實者

白芷 當歸 山茨菰 金銀花
防風 荊芥 青木香 赤芍藥
連翹 升麻 羌活 獨活 大黃
甘艸 古薄荷生芐水煎服

當歸散　治疔瘡

當歸　川芎　赤芍　荊芥　干葛
烏藥　白芷　獨活　羗活　升麻
青皮　防風　枳殼　紅花　蘇木
蟬蛻　甘草　黑豆廿粒　水煎服

○瘡疼加乳香沒藥○瘡熱不退加竹茹山梔仁○腫不退加甘艸節降真香○眠昏加蔓荊子倍川芎白芷防風○渴加花粉麥門乾葛○小便閉加滑石車前子

羅氏托裏散　治疔瘡一切發背

黃芪一兩半　厚朴　川芎　防風　桔梗各二兩　白芷　芍藥　官桂　人參
甘草節各一兩　木香　當歸　乳香
沒藥各半兩　酒煎二三沸服

荊防敗毒散　疔瘡初發惡寒發熱或拘急或頭疼或寒熱交作或肢體重痛或大便秘結方見腫瘍

依本方加連翹黃芩木香天花粉大黃生芐

黃連解毒湯　治疔毒入心內熱口乾煩悶恍惚脉實者宜用

黃連　黃芩　山梔子　牛蒡子　黃柏
連翹　甘草各等分　燈心水煎不拘時服

疔毒復生湯　治疔毒走黃頭面發腫毒氣內攻煩悶欲死者

牡蠣　山梔　木通　連翹　銀花
大黃　乳香　沒藥　鼠粘　花粉
角刺　骨皮　水酒各一鍾煎或水煎加酒○脉實便秘者加朴硝

追疔奪命湯　專治疔瘡服之速效能內消腫

羗活　獨活　青皮　防風　黃連
花粉　赤芍　細辛　蟬脫　殭蠶
桔梗　川芎　白芷　連翹　山梔
銀花　歸須　甘草節　姜葱水煎

熱服以衣被之出汗為妙○一方有澤蘭○在脚加木瓜牛膝薏苡仁○集驗方有脚連無花粉當歸須桔梗川芎白

芷連翹山梔子而要利加青木香大黄
梔子牽牛子

人參清神湯　治疔瘡潰膿後餘毒未盡五心煩燥精神恍惚不寧言語睡臥不清

人參　黄芪　當歸　白朮　陳皮
茯苓　遠志　麥門　骨皮各一戔
柴胡　黄連　甘草各五分
糯米一撮水煎服

内托安神散　治疔瘡針後已出膿時元氣虚弱睡臥驚悸心志不寧或毒未盡流入心竅致生健忘

人參　茯神　黄芪　白朮　麥門
玄參　陳皮各一戔　酸棗仁　石菖蒲
遠志　五味子　甘草各五分
水煎臨服硃砂五分

清心解毒湯　治紅絲瘡

當歸　生芐　赤芍　川芎　升麻
干葛　連翹　山梔　蟬蛻　黄芩
防風　桔梗　羌活　木通　青皮

手

枳殻　玄參　花粉　水煎服

天馬奪命丹　治疔瘡蛇傷大咬鼠咬凡治瘴氣蛇傷不可欲此藥

青木香末每服一錢蜜水調下

羅氏破棺丹　治瘡氣入腹危者

大黄二兩半生半熟　甘草　芒硝各一兩
為末蜜丸温酒化下

五聖湯　治一切疔腫癰初覺憎寒頭痛

皂角刺二兩　銀花　甘艸　生姜各一兩
瓜蔞一箇　酒煎服○一方無皂角有當歸赤芍枳殻

補中益氣湯　疔瘡有表邪不敢汗者

依本方加防風白芷方見潰瘍

一方　治疔走了黄打擸將死者

牡蠣　大黄　山梔　木通　連翹
鼠粘　乳香　没藥　栝蔞　皂角
銀花　骨皮各等分　水酒煎服
○氣壯者加朴硝

赤芍藥湯　治一切疔腫癰疽初覺憎寒頭痛

赤芍 銀花 大黃 當歸 枳殼
栝蔞 甘草 水酒各一鍾煎服

生脉散 疔瘡不能潰者
依本方合補中益氣湯以防毒陷

護心解毒湯 治疔瘡
遠志 羗活 黃連 木通 赤茯
生苄酒洗 赤小豆 甘草 水煎服

痘疔 陳實功云痘疔乃痘毒升發不盡留毒心肝二經者發之初生紫黑次日變黑毒淺者浮高而潤毒甚者深陷而焦其發多出於七朝上下將靨之際

○痘癰 又云痘癰乃原痘瀦發不足毒留於脾肺二經此多發在收靨之後

加減鼠粘子湯 治痘疔生臀腿手足身溫疤潤音清者吉發在肚腹腰腎身熱色枯聲啞者凶
鼠粘 花粉 知母 荊芥 山梔各六分 甘草 竹葉燈心水煎服○身熱加柴胡黃芩○有痰加貝母麥門冬○咽啞加玄參桔梗○咬牙加薄荷石

卅一

膏○便祕加蜂蜜玄明粉○昏憒加黃連硃砂○痂枯加生地黃當歸○戀疤加蟬蛻川芎

八物湯 治痘疔落後氣血虛弱膿水出多不能生肌收歛者方見潰瘍

保元湯 治痘癰出膿之後脾胃虛弱膿清不歛者
人參 白朮 黃芪各一錢 甘草三分
姜棗水煎服

荊芥敗毒散 治疔腫
黃連 羗活 青皮 姜蚕 防風
獨活 蟬退 細辛 芍藥 甘草
各等分 右水煎服

瘰癧　馬刀瘡　結核

○陳實功云瘰癧者有風毒熱毒氣毒之異又有瘰癧筋癧痰癧之殊又有寡婦尼僧鰥夫庶妾志不得發思不得遂積想在心過傷精力此勞中所得者往往有之最為難治

○馬刀瘡者生於項腋之間有類瘰癧但初起其狀如馬刀赤色如火燒烙極痛此瘡甚猛宜急治之不然多成危殆也臨證辨之

連翹散堅湯　治耳下至缺盆或至肩上生瘡堅硬如石動之無根者名馬刀瘡從手足少陽經中來也或生兩脇或已流膿作瘡或未破並治之

廣茂酒炒　三稜酒洗微炒　黄芩　連翹各半兩

土瓜根酒炒　龍胆酒洗各一兩　黄連酒炒　蒼术各三錢

柴胡一兩二錢　芍藥一錢　甘草炙六錢

右一半水一盞捌分先浸半日煎去滓熱服一半為末煉蜜為丸如菉豆大每

卌二

服一百丸○集驗方有當歸尾酒洗半兩

大聖散　治瘰癧消風毒腫上壅內熱多生癮疹風丹風證食煎煿多致此疾

羗活　荊芥　升麻　薄荷　防風

大黄　黄芩　玄參　甘草各等分

水煎服○或加赤芍連翹

清肝益榮湯　治肝胆經風熱血燥筋攣結核或作瘊子或耳項胸乳脇肋作痛

柴胡　龍胆酒拌炒各五分　當歸　川芎

芍藥各一錢　熟苄　白术　山梔炒　木瓜

茯苓　薏苡各五分　甘草三分

姜水煎服○一方無薏苡

九味柴胡湯　治肝經熱毒下注患便毒腫痛或小腹脇間結核凡肝胆經部分一切瘡瘍或風毒惡核瘰癧凡潰後腫消痛止者不宜

柴胡炒　黄芩炒各五分　人參　山梔炒

半夏　龍胆炒　芍藥炒　當歸各三分

甘草二分　水煎服

升陽調經湯　治遶項下或至頰車生瘰

瘰癧此證出足陽明胃經中來也若其瘡深遠隱曲肉低是足少陰腎中來也是戊土傳癸水夫傳妻俱作塊子堅硬大小不等並皆治之

升麻八戔　連翹　龍胆酒炒　黃連酒洗

桔梗　三稜酒洗微炒　葛根　甘草炙各半兩

知母酒洗炒　廣茂酒洗炒各一兩　黃芩酒炒六戔　黃藥酒炒七戔

右一半作丸煉蜜如菉豆大一半煎服

玉燭散　治瘰癧自消和血通經

當歸　芍藥　熟苄　川芎　芒硝

大黃　黃芩　甘草各等分　姜水煎

羗活連翹湯　治瘰癧初發寒熱腫痛

防風　羗活　連翹　柴胡　枳殼

川芎　鼠粘　昆布　黃芩酒炒　薄荷

銀花　夏枯草　甘草　水煎服次

以追毒散行之以化堅湯消之

防風羗活湯　治瘰癧發熱者

方即前方去金銀花柴胡枳殼加升麻海藻殭蠶○虛者加人參當歸○實者

卌三

加大黃黃連

保命連翹湯　瘰癧在項兩邊屬足少陽經服藥十余日後可於臨泣穴灸二七壯服藥不可住至五六十日方効

連翹　瞿麥各一斤　大黃三兩　甘草一兩

水二椀煎至一盞半早食後巳時服

射干連翹湯　治瘰癧寒熱

射干　連翹　玄參　赤芍　木香

升麻　前胡　當歸　山梔　甘草炙各一兩

大黃炒二兩　水煎去查入芒硝少許溫服日再服

檳榔散　治氣毒瘰癧心膈壅悶不下飲食

檳榔　前胡　赤茯　鼠粘炒各一兩

人參　枳殼炒　沈香　防風各半兩

甘草炙二戔半　姜水煎

一方　治瘰癧

人參　白术　陳皮　芍藥酒　當歸

川芎　香附　茯苓　半夏各一戔

甘草少各五分　以金銀藤煎湯入

薑煎服

補陰八物湯　治瘰癧等瘡屬足三陰虛者或元氣虛弱不能潰斂或内熱晡熱肌體消瘦方見潰瘍

即八珍湯加黄栢酒炒黑知母酒炒各七分

加味敗毒散　治風熱上壅頸痛或因怒氣增寒壯熱

即荊防敗毒散加牛蒡子玄參○如服四五劑不退宜服益氣養榮湯

八珍湯　治瘰癧已潰不愈者

依本方加柴胡地骨皮貝母香附夏枯草多服取効方見潰瘍

凉血疎肝飲　治瘰癧未破已破潮熱往來

柴胡　當歸　防風　白芷　羌活

川芎　玄參　連翹　紅花　牡丹

龍胆酒洗　地黄酒洗　甘草節　水煎熱服

小柴胡湯　治瘰癧因怒結核或腫痛或發熱者宜疎肝行氣

依本方加青皮木香紅花桃仁

卌四

十全大補湯　治潰後不斂者屬氣血俱虛先以益氣養榮湯次用之

依本方加香附貝母遠志方見潰瘍

荊防敗毒散　瘰癧耳下結核腫痛發寒熱宜此方表證悉退以散腫潰堅湯方見瘡瘍

防風解毒湯　治風毒瘰癧寒暑不調勞傷湊襲多致手足少陽分耳項結腫或外寒内熱痰凝氣滯者

防風　荊芥　桔梗　鼠粘　連翹

石膏　薄苛　枳殼　川芎　蒼术

知母　甘草各一錢　燈心廿根　水煎

連翹消毒飲　治熱毒瘰癧過食炙煿醇酒膏粱以致藴熱腮項成核或天行亢熱濕痰作腫不能轉側者

連翹　陳皮　桔梗　玄參　黄芩

赤芍　當歸　山梔　葛根　射干

紅花　花粉各一錢　甘草五分　水煎

○有痰者加竹茹○初起便燥加大黄

加味藿香散　治氣毒瘰癧外受風邪内

傷氣欝以致頸項作腫肩膊强痛四肢不舒寒熱如瘰及胸膈不利

藿香 桔梗 青皮 陳皮 柴胡
紫蘇 半夏 白术 茯苓 白芷
厚朴 川芎 香附 夏枯草各等分

姜棗水煎

滋榮散堅湯 治一切瘰癧憂抑所傷氣血不足形體瘦弱潮熱咳嗽堅硬腫痛毋分新久但未穿潰者

當歸 川芎 白芍 熟苄 陳皮
茯苓 白术 桔梗 香附各一錢 貝母
人參 海粉 昆布 甘草各五分
升麻 紅花各三分

姜棗水煎○身熱加柴胡黃芩○自汗盜汗去升麻加人參黃芪○飲食無味加砂仁藿香○食不化加山查麥芽○胸膈痞悶加澤瀉木香○咳嗽痰氣不清加杏仁麥門○口乾作渴加知母五味子○睡臥不寧加黃柏遠志酸棗仁○驚悸健忘加石菖蒲茯神○有汗惡寒加蒼术藿香

○女人經事不調加玄胡索牡丹皮○腹脹不寬加厚朴大腹皮

益氣養榮湯 治懷抱抑欝瘰癧流注或四肢患腫肉色不變或日晡發熱或潰不斂或腫硬不潰者宜補氣血

人參 茯苓 陳皮 貝母 香附
川芎 當歸酒 黃芪鹽水拌炒 白芍炒
熟苄酒各一錢 桔梗 甘草炙各五分 白术二錢

姜棗水煎○瘍科準繩有柴胡六分○回春有地骨皮○如胸膈痞悶加枳殼木香減人參地黃各三分○飲食不甘暫加蒼术厚朴○往來寒熱加地骨皮柴胡○膿潰作渴倍人參白术黃芪當歸○膿多或清倍當歸川芎○脇下痛或痞加青皮木香○肌肉生遲加白蘞肉桂○痰多加半夏陳皮○口乾加麥門五味子○發熱加柴胡黃芩○渴不止加知母赤小豆○潰後反痛加熟附子沈香○膿不止倍加人參黃芪當歸○虛煩不睡者倍人參熟苄加遠志酸棗

仁○婦人有欝氣胸膈不利倍香附加
貝母
芩連二陳湯　治痰瀝生於小陽分項側
結核外皮漫腫色紅微熱
方即二陳湯加桔梗黄芩黄連牛蒡子
連翹天花粉各一戔木香三分夏枯草二戔
煎服已成氣弱者不宜
紫藴烏藥湯　治瘰瀝先從結候起者
紫藴　烏藥　枳殼　桔梗　柴胡
前胡　防風　獨活　川芎　芍藥
茯苓　大腹皮　甘草
水煎食後服
紫蘇連翹湯　治瘰瀝先從項上起者
即前方去烏藥茯苓腹皮加連翹白芷
當歸
紫藴厚朴湯　治瘰瀝先左邊起者
即前方去連翹柴胡白芷加厚朴蕪子
蘿蔔子
紫藴香附湯　治瘰瀝先從右邊起者
即紫藴烏藥湯去枳殼前胡獨活川芎

共

芍藥腹皮加香附青皮半夏厚朴
抑氣内消散　治瘰瀝并諸瘤結核
當歸　川芎　白芍酒　白术　青皮
陳皮　半夏姜　桔梗　羌活　白芷
厚朴姜　獨活各八戔　防風　黄芩　烏藥
香附　檳榔各一兩　蘇葉一兩半　沈香三戔　木香
人參　甘草各五戔　水煎服○或酒
糊丸白湯服
加味逍遙散　治瘰瀝流注虚熱等瘡
當歸　茯苓　白术　白芍　柴胡
各一戔　香附八分　牡丹七分　薄荷五分　甘草
六分　水煎服○如熱加黄芩
○有寒加姜棗
散腫潰堅湯　治瘰瀝馬刀瘡結核如石
或在耳下至缺盆中或在肩上至脇下
發頦下至頬車堅而不潰或已破流膿
及癭瘤治之氣血無虧宜用之
黄芩八分酒　白芍酒炒　當歸酒　龍胆酒
桔梗炒　知母酒炒　黄栢酒炒　花粉　昆布
各五分　連翹　葛根　三稜酒拌炒

莪术酒拌炒 黃連 升麻 甘草炙各三分
柴胡四分 水煎服或為末煉蜜為丸
服〇一方無黃連
升麻散堅湯 治瘰癧遶頸至頰車腫塊
堅硬大小不一
升麻 莪术 三稜 陳皮 桔梗
黃連 龍胆 葛根 川芎 白芍
連翹 黃芩 當歸 夏枯草各五分
甘草五分 水煎服〇有痰加天花
粉〇或為丸服亦可
夏枯草湯 治瘰癧馬刀已潰未潰或已
潰日久成漏形體消瘦飲食不甘寒熱
如瘧漸成勞瘵
夏枯艸二兩 當歸三錢 白术 茯苓
桔梗 陳皮 生芐 柴胡 貝母
香附 白芍 甘草各一錢 白芷 紅花
各五分 先用夏枯草水三碗煎至二
碗濾同藥煎至八分食後服
活血化堅湯 治一切瘰癧及癭瘤痰核
初起未潰膿者

防風 赤芍 歸尾 貝母 川芎
桔梗 花粉 銀花 皂角各一錢 姜蚕
厚朴 陳皮 乳香 白芷
五霊脂各五分 水煎服
芎歸養榮湯 治瘰癧流注及一切不足
之症不作膿或不潰或已潰不斂或身
體發熱惡寒肌肉消瘦飲食少思睡臥
不寧盜汗自汗驚悸恍惚
當歸二錢 人參 黃芪 白术 川芎
白芍 熟芐各一錢 遠志 茯苓 麥門
五味子 甘草各五分 牡丹 砂仁各三分
姜棗水煎服
通治瘰癧 治瘰癧不分新久表裏虛實
及諸痰結核
陳皮 白术 柴胡 桔梗 川芎
當歸 白芍 連翹 茯苓 黃芩
香附醋炒 夏枯艸各一錢 藿香 半夏
白芷 甘草各五分 姜水煎入酒服
加味歸脾湯 治瘰癧流注不能消散潰
斂

當歸補血湯　瘰癧潰後發熱煩躁作渴脉大無力此血虛也宜此湯次以聖愈湯再八物湯加貝母遠志方見癰疽

柴朮參苓湯　治肝火血熱遍身瘙痒或起赤暈或筋攣結核

白朮　人參　茯苓各一戔　山梔炒　柴胡　川芎　芍藥炒　甘草炙各五分　熟地黃　當歸各八分　水煎服

柴芍參苓散　治肝胆經部分結核瘰癧瘤瘊等症肝血燥熱脾氣虛弱

柴胡　芍藥炒　人參　茯苓　白朮　山梔炒　陳皮　當歸各一戔　牡丹　甘草各五分　姜棗水煎服

柴胡連翹湯　治馬刀瘡男子婦人共用

柴胡　連翹　黃芩酒　鼠粘各半兩　生芐　黃栢酒　甘草炙各三戔　瞿麥六戔　歸尾半一戔　薄桂三分　知母酒一戔半　水煎服

消毒湯　治馬刀瘡

柴胡　黃芩各二戔　連翹三戔　鼠粘炒　黃連　紅花各半戔　黃芪　花粉各一戔半　甘草　歸尾

各一戔　水煎熱服

柴胡通經湯　治馬刀瘡項側有瘡堅而不潰

柴胡　連翹　歸尾　黃芩　鼠粘　三稜　桔梗　紅花　川芎　黃連　甘草　水煎服○回春無黃連川芎

二陳湯　頸項生核不紅不痛不作膿推之則動乃痰聚不散也不可誤用瘰癧依本方加大黃柴胡連翹桔梗○膿薄者依本方加桔梗黃芩玄參麥門防風許炒竹瀝

一方　治臂核或作微痛者以內無膿故外雖腫不紅或生背膊

陳皮　半夏　茯苓　黃芩酒炒　防風　皂角各一戔　甘草三分　川芎　蒼朮各五分　水煎服

補中勝毒餅　治瘰癧馬刀挾癭者

黃芪　連翹各一戔　升麻　柴胡　防風　甘草各五分　人參　當歸　生芐　熟芐　白芍　陳皮各三分　右共為末湯浸

蒸餅調劑揑作餅子晒乾搗如米粒大每三錢白湯下○如足陽明部瘡多倍升麻加漏蘆一錢乾葛五分○足太陽項脊背腰強者加羌活一錢獨活五分○腫甚加鼠粘三分○堅硬加昆布○硬甚加三稜莪朮各二分○寒月身凉或有腹痛加肉桂二分○暑月身熱或有煩悶加黃連酒黃栢各三分○腸胃有痰血加牡丹二分○少食加麥芽神麯各三分○便祕加酒大黃或麻仁桃仁秦艽○陰寒祕結去諸苦藥加附子一錢姜水煎冷服○如瘡屬陽明部分忌柴胡鼠粘○屬少陽部分為馬刀挾癭忌獨活漏蘆升麻乾葛加瞿麥三分

加味逍遥散　瘰癧此症都而難治

柴胡　芍藥　當歸　白朮　茯苓
黃芪　山梔　桔梗　連翹　香附
紫蘇　甘艸　右水煎服○虛者加人參○咳嗽加貝母百合○痰飲加半夏瓜蔞仁

海藻連翹飲

酒茯苓　陳皮　連翹　半夏　黃芩
黃連酒　南星姜　柴胡　牛蒡子
三稜炒酒　莪茂炒酒　殭蚕　昆布　海藻
羌活　防風　桔梗　川芎　升麻
夏枯艸　生姜薄荷水煎服

夏枯草湯　治瘰癧馬刀已潰未潰或日久漏者

夏枯草六兩　水二鍾煎七分去柤食遠服此生血治瘰癧之聖藥甚虛者當煎濃膏服並塗患處多服益善

二陳湯　結核在下頦者

依本方加酒炒大黃桔梗黃連柴胡連翹○在臂加連翹防風川芎酒黃芩蒼朮皂角刺殭蚕射香行太陰之積痰使結核自消

肺癰 肺痿

○王宇泰云肺癰者由食啖辛熱炙煿或酣飲熱酒燥熱傷肺所致治之宜早千金云欬唾膿血其脈數實者為肺癰若口中欬逆即胸中隱痛脈反滑數此肺癰也其面色白而反赤者此火之剋金皆不可治

○肺痿之候久嗽不已汗出過度亡津液便如爛爪下如豕脂小便數而渴

麥冬平肺飲 治肺癰初起咳嗽氣急胸中隱痛嘔吐膿痰者

人參 麥門 梹榔 赤茯 陳皮
桔梗 赤芍各一戔 甘草五分 水煎服

小青龍湯 治肺受風寒咳嗽喘急肺癰證治先與一劑乃行氣取膿之藥將以解表之風寒邪氣此治腫瘍之例也

半夏二兩半 干姜炮 細辛 麻黃 肉桂
芍藥 甘草炙各三兩 五味子二兩 蜜拌炒
姜水煎

牡丹散 治肺癰吐膿血作穢臭胸乳間皆痛

牡丹 芍藥炒 地榆 桔梗炒 薏苡
黃芩炒 升麻 甘草各一戔半 水煎服

○一方無黃芩加生姜名升麻湯

如金解毒散 治肺癰

桔梗一戔 甘草一戔半 黃連 黃芩 黃柏
山梔各七分炒 水煎服凡發熱煩渴脈洪大者用之

瀉白散 治肺癰

桑白皮炒 骨皮 貝母 紫菀
桔梗 當歸酒各一戔 瓜蔞一戔半 甘草炒一戔
姜水煎

托裏散 治肺癰

依本方加當歸山梔黃芩杏仁方見瘡疽

參芪補脾湯 治肺癰脾氣虧損咳吐膿涎或中滿不食服此藥補脾土以生肺金否則不治

人參 白朮各二戔 黃芪炙二戔半 茯苓 陳皮
當歸各一戔 升麻三分 麥門七分 桔梗炒六分

五味子四分　甘草五分炙　姜棗水煎
○一方無升麻
寧肺湯　治咳嗽唾膿自汗上氣喘急用
此補肺及治榮衛俱虛發熱自汗
人參　當歸酒　白术　熟芐　川芎
五味子　桑白炒　白芍　茯苓　甘草
炙　阿膠各一钱蛤粉炒　姜水煎

人參補肺湯　治肺症咳喘短氣或腎水
不足虛火上炎痰涎涌盛或吐膿血發
熱作渴小便短澁
人參　黄芪　白术　茯苓　陳皮
當歸各一钱　山茱萸　山藥各二钱　五味子
甘草各五分炙　麥門七分　熟芐一钱半　牡丹八分
姜棗水煎

人參平肺散　治心火尅肺金為肺痿咳
嗽喘嘔痰涎壅盛胸膈痞滿咽嗌不利
人參　青皮　茯苓　陳皮　桑白皮
天門　骨皮各一钱炒　知母七分炒　五味子四分炒
甘草五分炙　姜水煎

五香白术散　寬中和氣滋益脾土生脾

四一

金進美飲食
沈香　木香　乳香　丁香　藿香
桔梗各半两　人參　白术　茯苓　山藥
薏苡仁　縮砂　蓮肉　藊豆　白豆蔻
甘草各一两
右為末蘇鹽湯調空心服棗湯亦可
○有汗加浮麥

甘桔湯　此仲景少陰咽痛藥也孫眞人
治肺癰吐膿血
桔梗三两　甘草一两　水煎服○欬逆
氣加陳皮○欬嗽加貝母知母○欬發
渴加五味子○吐膿血加紫苑○肺痰
加阿膠○面目腫加茯苓○嘔加生姜
半夏○少氣加人參麥門○膚痛加黄
芪○目赤加梔子黄連○咽痛加鼠粘
竹茹○欬不出加半夏桂枝○疫毒頭
腫加大黄芒硝鼠粘○胸痛膈不利加
枳殼○心胸痞加枳實○不得眠加梔
子○發狂加防風荆芥○酒毒加葛根
陳皮

人參養肺湯　治肺痿咳嗽有痰午後熱
并聲嘶者
人參　阿膠蛤粉炒　貝母　桑白皮　桔梗
杏仁炒　茯苓　枳實　甘草各一錢
柴胡二戔　五味子半戔　姜棗水煎
射干湯　治胃脘癰吐膿血
射干　升麻　赤茯　梔子　赤芍
各一兩三戔　白术五戔　水煎服
桔梗湯　治肺癰咳唾膿血咽乾多渴大
小便不利
桔梗炒　貝母　當歸酒　桑白皮蜜炒　瓜蔞
防風　杏仁　黃芪塩　枳殼炒　薏苡
炒　甘草節　姜水煎　入門無
枳殼有人參○一方有玄參地骨皮○
又一方有五味子葶藶知母地骨皮
排膿散　治肺癰吐膿後宜服此
黃芪　白芷　五味子炒　人參各等分
為細末每服二錢食後蜜湯調服
加味理中湯　治肺胃俱虛咳嗽聲重發
熱不已又兼脉浮數而無力

四二

依本方加半夏茯苓五味子陳皮細辛
玄參清肺飲　治肺癰咳唾膿痰胸膈脹
滿上氣喘急發熱者
玄參八分　柴胡　陳皮　麥門　骨皮
桔梗　茯苓各一戔　人參　甘草各五分
檳榔三分　薏苡二戔　姜水煎臨服入童便
寧肺桔梗湯　治肺癰胸膈隱痛兩脇腫
滿口燥咽乾煩悶多渴自汗盜汗眠臥
不得時吐稠痰腥臭者
桔梗炒　貝母　當歸酒　黃芪炒　瓜蔞
枳殼炒　桑白炒　百合蒸　薏苡炒　防已
甘艸節各八分　五味子炒　葶藶炒
知母炒　杏仁　地骨皮各五分
姜水煎○咳甚加百藥煎○身熱加柴
胡黃芩○大便不利加大黃蜜炒○小
便澁滯加車前子木通○煩燥兼血加
白茅根○痛甚加人參白芷
四順散　治肺癰吐膿五心煩熱壅悶咳
嗽氣急不能安
貝母　紫菀　桔梗炒各一戔五分　甘草炙七分

水煎服○咳嗽甚加杏仁○亦可為末
白湯調服

人參五味子湯　治氣血勞傷咳膿或咯
血寒熱往来夜出盗汗羸瘦困乏一切
虚損肺痿之證並治

人參　前胡　陳皮　五味子　白朮
桔梗　當歸　熟芐　茯苓　甘艸
各一戔　黄芪　枳殼　柴胡　骨皮
桑白皮各五分　姜水煎

知母茯苓湯　治肺痿喘嗽咳吐痰涎或
自汗盗汗往來寒熱

茯苓　黄芩各一戔　知母　桔梗　五味子
薄荷　人參　柴胡　半夏　川芎
麥門　白朮　阿膠　款冬花　甘草
各六分　姜水煎加童便

滌痰湯　治心火剋肺金久而不愈傳為
肺痿

方即六君子湯去白朮加麥門冬天南
星桔梗黄連枳實竹茹

清金二母湯　治肺痿多嗽少痰午後發

熱口乾煩燥不寧者

知母　貝母　桔梗　茯苓　當歸
白朮　陳皮各一戔　桑白　瓜蔞　紫蘇
杏仁　柴胡　黄芩　麥門　五味子
甘草各五分　水煎入童便服

薏苡仁散　治肺痿

當歸　芍藥　黄芪　人參　五味子
麥門　黄芩　桑白　百部
薏苡仁　生姜水煎

紫菀散　治虚勞咳嗽見膿血肺痿變癰

紫菀　知母　貝母各一戔半　人參　桔梗
茯苓各一戔　阿膠　甘草各五分　五味子十粒
生姜水煎服

升麻湯　治肺癰胸乳間皆痛吐膿腥臭

升麻　桔梗　黄芩炒　薏苡仁
地榆　赤芍藥炒　牡丹皮　生甘草
各一戔　水二鍾煎八分食遠服

葶藶散　治過食煎煿或飲酒過度致肺
壅喘不能卧及肺癰濁唾腥臭

甜葶藶　桔梗炒　瓜蔞仁　薏苡仁

升麻　桑白皮炒　葛根各一戔　甘草炙五夕
水一鍾半生姜三片煎八分食後服
知母茯苓湯　治肺痿喘嗽不已往來寒
熱自汗
知母炒　茯苓　人參　白术　桔梗
炙甘草　五味子炒搗　麥門冬
半夏製　款冬花　薄荷　柴胡各一戔
阿膠蛤粉炒　黃芩炒各二戔　川芎五夕
水二鍾姜三片煎一鍾食遠服
紫菀茸湯　治飲食過度或煎煿傷肺欬
嗽咽乾吐痰唾血喘急脇痛不得安臥
肺痿等證
紫菀茸去苗　桑葉經霜者　款冬花
百合蒸焙　杏仁去皮尖　阿膠蛤粉炒
貝母去心　半夏製　蒲黃炒各戔
人參　犀角鎊　甘草炙各五分
水一鍾半生姜三片煎七分入犀角末
食後服

腸癰　腹癰　臍癰

○仲景云腸癰之證因飲食積熱或食辛熱陳實功云濕熱瘀血流入小腸而成也薛已云脈遲緊者未有膿也下之脈洪數者已有膿也排之小腹疼痛小便不利膿壅滯也若大便或臍間出膿者不治

牡丹湯　治腸癰小腹腫痞按之即痛小便如淋時時發熱自汗惡寒其脈遲緊者膿未成可下之

牡丹　瓜蔞各一錢　桃仁　芒硝各二錢

大黃五錢　水煎去滓入硝再煎數沸服

射干湯　治胃脘癰人迎脉逆而盛嗽膿血榮衞不流熱聚胃口成癰

方見肺癰水煎去查入地黃汁蜜再煎溫服

復元通氣散　治諸氣澁耳聾腹癰便癰瘡疽無頭止痛消腫

青皮　陳皮各三兩　甘草三寸半生半熟

四五

穿山甲炮　瓜蔞根各二兩　銀花　連翹各一兩

右為細末熱酒調下

芍藥湯　治胃脘積熱結聚為癰

赤芍　石膏　犀角　麥門　薺苨

木通各三兩　朴硝　升麻　玄參　甘草各一兩

水煎服

內消沃雪湯・治五臟內癰尻臀諸腫太小腸癰方見腫瘍

薏苡仁湯　治腸癰腹中疼痛或脹滿不食小便澁滯婦人產後多有此病縱非癰服之尤効一名瓜子仁湯

薏苡　瓜蔞各三錢　牡丹　桃仁各二錢

白芍一錢　水煎服○一方無白芍

大黃湯　治腸癰小腹堅硬如掌而熱按之則痛肉色如故或焮赤微腫小便頻數汗出憎寒脈緊實而有力日淺未成膿者急服之

大黃炒　朴硝各一錢　牡丹　瓜蔞　桃仁各二錢

水煎空心服以利下膿血為度

○正宗無瓜蔞有白芥子

加味四物湯　治内癰其脉重取芤非痛脉也知有膿也
依本方加桔梗柴胡香附皂角刺膿出大便而安

敗毒散　治小腸癰
依本方加猪苓澤瀉木通甘草稍瞿麥燈艸　方見癰疽

牡丹皮散　治腸癰腹濡而痛以手重按則止或時時下膿
人參　白芍　茯苓　牡丹　薏苡
桃仁　白芷　當歸　川芎各一戔　官桂
甘草炙各五分　木香三分　水煎服
○準繩有天麻無白芍○一方有黄芪無芍藥

活血散瘀湯　治産後惡露不盡或經後瘀血作痛或暴急奔走或男子杖後瘀血流注腸胃作痛漸成内癰
川芎　歸尾　赤芍　牡丹　蘇木
桃仁　枳殼　瓜蔞各一戔　檳榔子六分
大黄酒炒三戔　水煎服

七賢散　治腸癰潰後疼痛淋瀝不止或精神減少飲食無味面色痿黄四肢無力自汗盜汗睡臥不寧
人參　茯苓　牡丹　山藥　熟芐
山茱萸各一戔　黄芪二戔　姜棗水煎

排膿散　治腸癰小腹脹痛脉滑數裏急後重時時下膿
黄芪鹽水拌炒　當歸酒　白芷　防風
川山甲炮　川芎　瓜蔞　金銀花各一戔
水煎服或為末蜜湯調下可○準繩無川芎有連翹甘草○若膿將盡去川山甲連翹加當歸川芎

四物湯　腸癰脉芤濇者
依本方加桃仁紅花木香玄胡索

八珍湯　腸癰膿從臍出腹脹不除飲食減少面白神勞此皆氣血俱虚
依本方加牡丹肉桂黄芪五味子

瓜蔞子湯　治産後惡露不盡或經後瘀血停滯腸胃作痛縱非是癰服之効
薏苡四戔　桃仁　牡丹　瓜蔞各一

水煎空心服

獨活散 治盤腸癰

羗活 獨活 烏藥 茯苓 荆芥
當歸 川芎 桔梗 白术 黄芪
升麻 貝母 人參 枳殼 知母
黄栢 水煎服

敗毒流氣飲 治小腸流注此症受在心經伏熱結聚成毒也方見癰瘍

依本方去人參干葛柴胡天花粉細辛薄荷加香附檳榔茴香澤瀉玄胡索

人參敗毒散 治小腹癰因膀胱有熱畜毒不流結成此毒

依本方加猪苓澤瀉木通甘草稍瞿麥燈艸

四君子湯 腹癰慢腫堅硬肉色不變未有膿

依本方加川芎當歸白芷枳殼

六皮四子湯 治發肚毒此症有發腹肚不速治致喪命

陳皮 青皮 腹皮 加皮 姜皮
茯苓皮 蘇子 車前子 蘿蔔子
葶藶子 花粉 甘草 水煎服

內托散 治臍癰

依本方加猪苓澤瀉當歸車前子黄栢知母○膿盡多加白术黄芪熟苄山藥

定痛三香飲 治婦人臍癰毒

乳香 香附 木香 人參 黄芪
當歸 川芎 芍藥 防風 肉桂
枳殼 桔梗 烏藥 厚朴 白芷
延胡 甘草 姜棗水煎○夏去肉桂加干葛黄芩生苄麥門

五香連翹湯 治臍腫紅痛者

丁香 木香 沈香 乳香 當歸
貝母 連翹 人參各一錢 羗活五錢
麝香少半 水煎服

梅仁湯 治腸癰壅痛大便祕澁

梅仁九個去皮尖 大黄炒 牡丹皮 犀角錢
芒硝各一錢 冬瓜仁炒三錢

右水煎入犀角末服

乳癰　乳岩

○陳實功云乳癰者乳子之母不能調養以致胃汁濁而壅滯為膿又有憂鬱傷肝肝氣滯而結腫

○王宇泰云乳岩者鬱怒傷肝脾而結核不痒不痛者名曰乳岩最難治○陳實功云男子乳疾與婦人微異女損肝胃男損肝腎

牛蒡子湯　治乳癰乳疽結腫疼痛毋論新久但未成膿

陳皮　山梔　鼠粘　銀花　黄芩　連翹　瓜蔞　花粉　皂角　甘草各一錢　柴胡　青皮各五分　水煎加酒食遠服

清肝解鬱湯　治一切憂鬱氣滯乳結腫硬不疼不痒久漸作疼或胸膈不利肢體倦怠面色痿黄飲食減少

方即四物湯以熟苄代生苄加香附子半夏青皮遠志茯神山梔子貝母蘇葉

桔梗木通甘草生姜

回乳四物湯　治産婦無兒吃乳汁乳汁腫脹堅硬疼痛難忍

依本方加麥芽

内托升麻湯　治婦人兩乳間出黑頭瘡頂陷下作黑眼并乳癰初起者

升麻　葛根　連翹　歸身　黄蘗各二錢　黄芪三錢　肉桂五分　鼠粘　甘草各炙一錢　水酒煎服

一方　治婦人乳中結核

升麻　連翹　青皮　甘草節各二錢　瓜蔞三錢　水煎服

一方　治乳癰滯氣污血

青皮　瓜蔞　皂角　橘葉　連翹　桃仁　甘草節　水煎服○如破多加人參黄芪

究原五物湯　癰疽發背乳癰通用

瓜蔞研　皂角刺半生半燒　没藥各半兩　乳香　甘草各二錢半　以醇酒煎服

連翹飲子　治乳癰或乳内結核

連翹　川芎　瓜蔞　皂角炒　摘葉
青皮　桃仁　甘草炙各二　水煎服
○已破者加人參黃芪當歸○未破者
加柴胡升麻

清肝解鬱湯　治肝經血虚風熱或肝經
鬱火傷血乳內結核或為腫潰不愈凡
肝膽經血氣不和之症皆宜用此藥
人參　茯苓　貝母　山梔子炒
熟芐　芍藥炒各一錢　白朮　當歸各一錢五分
柴胡　川芎　陳皮　牡丹皮各八分
甘草五分　水煎服

復元通氣散　治婦人發乳癰疽及一切
腫毒或打撲損傷閃跌作痛及疝氣尤
効
木香　茴香　青皮　山甲炙酥　陳皮
貝母姜　白芷　漏蘆　甘草
右各等分為末好酒調下○一方有玄
胡索白牽牛炒無白芷漏蘆

竇氏復元通氣散　治乳發
木香　青皮　白芷　銀花　貝母

陳皮　紫蘇　當歸　川芎　連翹
山甲炒　瓜蔞　木通　甘草
水煎服○已潰者用人參黃芪白朮之
類

一方　治乳癰疽一切腫毒
石膏　青皮　陳皮　山甲炙酥　沒藥
川芎　漏蘆　枳殼　貝母
為細末酒調服或水煎酒服

開鬱順氣解毒湯　治妳癧妳癖
青皮　當歸　川芎　生芐　柴胡
香附　陳皮　梔仁　赤芍　連翹
砂仁　桔梗　烏藥　黃芩　羌活
花粉　銀花　甘草　再用夏枯草
四兩水三四碗煎服○冬天加肉桂玄
胡索

逍遙調經湯　治妳癧妳癖
當歸　生芐　白芍　陳皮　川芎
熟芐　香附　澤蘭　烏藥　青皮
黃芩　枳殼　柴胡　丹皮　玄胡
甘草　水煎服

一方 治乳岩

川芎 柴胡 青皮 香附子各二兩

陳皮 桔梗 黃芩 玄胡索

枳殼 梔仁 烏藥 天花粉

白芷 貝母 甘草 蔓荊各炒一兩

砂仁一兩五錢 水煎服或為末丸服

雲岐連翹湯 治產後妬乳並癰實者下之

連翹 升麻 芒硝各一兩 玄參

芍藥 白斂 防已 射干各八分

大黃二錢 甘草六錢 杏仁四十枚

水煎下大黃次芒硝分三服

一方 婦人平時乳內有結核不為痛忽乳邊又有一腫核却頗有些痛

黃芩 川芎 木通 陳皮各四錢

人參二錢 腹皮三錢 歸頭 芍藥一

甘草生 甘草各炙一錢 水煎服

消毒散 治吹乳乳癰並便毒如鯼寒壯熱或頭痛者宜先服人參敗毒散二服方可服此藥如無前證即服此藥

平

三劑或腫不消宜服托裏藥

青皮 柴胡 銀花 貝母

僵蠶炒 當歸酒 白芷各二錢

水煎服○便毒加煨大黃一錢

荊防敗毒散 乳癰施圍藥若不能痊愈用此方 方見癰疽

依本方加風蔞子天花粉

十全大補湯 治乳癰膿出反痛或作寒熱是氣血虛也方見癰疽

補中益氣湯 治乳癰體倦口乾是中氣虛也方見癰疽

八物湯 治乳癰晡熱內熱是陰血虛也方見癰疽

依本方加五味子○若勞碌腫痛是氣血未復也倍人參黃芪白朮○若怒氣腫痛肝火傷血也加柴胡山梔

四物湯 治乳癰肝火血虛而結核者

依本方加人參白朮柴胡升麻

四君子湯 治乳癰肝脾氣血虛而結核者

依本方加川芎當歸柴胡升麻
瓜蔞散　治乳癰鬱結傷脾而結核者兼
服歸脾湯
瓜蔞仁　青皮各一戔　石膏　甘草節
沒藥　歸尾　皂刺　銀花各五分
青橘葉取汁二匙　酒水各半煎服○未
潰者散○若已潰者去石膏沒藥皂刺
銀花用當歸身加人參黃芪川芎芍藥
白术
觀音救苦散　治乳癰吹乳腫痛不可忍
者
銀花　皂角　歸尾　白芷　貝母
山甲　花粉　瓜蔞　甘草
水煎加酒服
一方　治吹乳腫痛不可忍者
升麻　白芷　青皮　歸尾　連翹
貝母　銀花　瓜蔞　橘葉　甘艸
水煎入酒服
衛脉飲子　治乳癰初成或穿破不能收
功者

五一

方即四君子湯加當歸川芎黃芪柴胡
青皮木瓜皂角白芍酒生芐酒
神效瓜蔞散　治乳癰及一切癰疽初起
腫痛即消膿成即潰膿出即愈治癰之
方甚多獨此方神效瘰癧瘡毒尤效凡
一切癰疽餘毒皆宜用之
瓜蔞一個爛研　當歸酒洗　生粉草各半兩
乳香　沒藥各一戔　右用酒煎服良
久再服如不能飲以酒水各半煎之如
數劑不效宜以補氣血之藥兼服之
○若肝經血虛結核不消佐以四物柴
胡升麻白术茯苓○若肝脾氣血虛弱
佐以四君芎歸柴胡升麻○若憂鬱傷
脾氣血虧損佐以歸脾湯

時毒

◎王宇泰云爲四時邪毒之氣感之於人也夫此疾古無方論初發狀如傷寒五七日間乃能殺人若能延至十日之外者不治自愈也五日以前精神昏亂咽喉閉塞語聲不出頭面蓋腫食不知味者必死之候治之無功矣

芩連消毒飲　治時毒發熱惡寒頭項腫痛脉洪數

防風　荆芥　連翹　柴胡　黃芩
川芎　羌活　桔梗　藍葉　射干
白芷　黃連　鼠粘　木香　銀花
甘草　右薄荷煎服

中和湯　治時毒脉浮在半表半裏

羌活　防風　菖蒲　牛蒡子
川芎　漏蘆　荊芥　麥門　前胡
甘草　水煎服

通聖消毒散　治時毒腫痛表裏俱實者

防風　荊芥　連翹　赤芍　當歸
黃芩　麻黃　梔子　木香　黃連
黃栢　石膏　滑石　大黃　芒硝
鼠粘　川芎　桔梗　玄參　藍葉
甘草　薄荷　水煎服

甘桔湯　治疫毒頭腫者

依本方加鼠粘大黃芒硝　方見肺癰

漏蘆散　治臟腑積熱發爲腫毒時疫疙瘩頭面洪腫咽嗌堵塞水藥不下一切危惡疫癘

漏蘆　升麻　大黃　黃芩各一兩
藍葉　玄參各二兩　水煎◯腫熱甚加芒硝

荊防敗毒散　治時毒初起頭痃惡寒腮項腫痛脉浮者

荊芥　防風　羌活　獨活　前胡
柴胡　川芎　桔梗　茯苓　枳殼
人參　甘草　姜水煎◯寒甚加葱

五利大黃湯　治時毒焮腫赤痛煩渴便秘脉實有力者

大黃煨　黃芩　升麻錢各二　山梔子

芒硝各二钱二分　水煎未利者再煎服

連翹消毒飲　治時毒表裏二症俱罷餘腫不消疼痛不退者

連翹　川芎　當歸　赤芍　栝蔞

薄荷　黄芩　枳殼　桔梗　花粉

甘草各一钱　升麻五分　水煎○便燥者加酒炒大黄

防風通聖散　治時毒惡寒發熱煩燥口乾表裏脉症俱實者

防風　白芍　薄荷　川芎　桔梗

山梔　黄芩　白术　當歸　連翹

荆芥　麻黄　滑石　石膏各一钱

芒硝一钱五分　大黄酒二钱　甘草五分

水煎服

普濟消毒飲　治時毒疫癘初覺增寒發熱肢体沉重次傳頭面作腫或咽喉不利舌乾口燥煩渴不寧者

黄芩　黄連各二钱　人參一钱　陳皮

玄參　柴胡　桔梗炒　甘草各一钱一五

連翹　栝蔞　馬渤　板藍板

五三

升麻　薑蠶各五炒　水煎服○如大便燥加大黄酒煨一钱以利為度

梔子仁湯　治時毒焮赤腫痛煩渴便祕脉實數者大效

即五利大黄湯加連翹玄參大青升麻薄荷

漏蘆湯　治時毒頭面紅腫咽喉閉塞水藥不下若素有藏府積熱發為腫毒疙瘩一切腫瘍惡瘡便實者

漏蘆　升麻　大黄　黄芩　藍葉

栝蔞　玄參　桔梗　連翹　木香

苦參　甘草　薄荷　水煎服○結者加芒硝○一方無木香苦參薄荷

托裏溫經湯

升麻三钱　人參　蒼术各一钱　麻黄

防風　葛根　白芷　歸身各二钱

白芍　甘草各一钱半　先煎麻黄去沫再下餘藥煎去查服卧暖處汗出腫减七八分再服去麻黄防風加栝蔞連翹腫痛悉愈

郭氏牛蒡子散　治時毒瘡疹脉浮洪在表者瘡發於頭面胸膈之間
升麻　鼠粘炒　桔梗　葛根　玄参
麻黄　甘草各一錢　連翹二錢　姜水煎

又方　治時毒
升麻　赤芍　乾葛　木香　防風
白芷　荊芥　鼠粘　桔梗　玄参
麻黄　連翹　藍葉　銀花　薄荷
甘草　水煎服

葛根牛蒡湯　治時毒腫痛而便利調和者
葛根　管仲　甘草　牛蒡子半生半炒
豆豉各二錢　右水煎服

犀角升麻湯　治時毒或風熱頭面腫痛或咽喉不利或鬢疽疮腮等證方見鬢疽

升麻黄連湯　治胃經熱毒腮腫作痛或發寒熱
升麻　川芎　當歸各二錢半　連翹　黄連
白芷　牛蒡子各一錢　右水煎服○若腫連太陽加羗活○連耳後加山梔柴

五四

胡

秘傳連翹湯　治癰疽時毒腫痛焮腫
連翹　升麻　朴硝各一兩　玄参　芍藥
白蘞　防風　射干各三錢　大黄一兩二錢
甘草五錢炙　杏仁八十個去皮尖同麩炒黄別研
右每服五七錢水煎服下惡物後服内托之類

六味梔子仁湯　治時毒腫痛大便秘結脉沈數
山梔炒　枳殼　大黄煨　升麻　鬱金
牛蒡子炒各等分　右水煎服或為細末每服三錢蜜水調下

腦疽

○申斗垣云腦發發於巔頂之上泥丸宮穴係足太陽膀胱經與督脈相並而作其經多血少氣狀如火燎漿皰大如錢形色似葡萄頭若有蜂兒米粒大四圍堅硬色赤者可治血悶乱神不定者死

黃連救苦湯　治腦疽發鬢鬓頤及天行時毒初起增寒壯熱頭面耳項俱腫服之未成者即消已成者自潰

黃連　升麻　乾葛　柴胡　赤芍
川芎　歸尾　連翹　桔梗　黃芩
羌活　防風　銀花　甘草各一錢

水煎臨服入酒食後服

內托千金散　治腦疽發背諸毒惡瘡已成不消者服之易潰方見腫瘍

方即千金內托散去厚朴加花粉銀花水煎臨服入酒○痛甚者加乳香沒藥

小保安湯　治腦疽諸發已潰流膿時平常服之庶不更變

當歸　茯苓　川芎　黃芪　麥門
陳皮　桔梗　人參　半夏　白朮
甘草各一錢　藿香五分　姜棗水煎

大保安湯　治腦項諸發癰疽惡瘡大毒已潰之後膿水出多氣血虛弱精神短少飲食少思坐臥不寧煩燥不眠晝則安靜夜則發熱及虛陽煩渴等症

白朮　當歸　人參　茯苓　川芎
白芍　山萸　黃芪　山藥　丹皮
熟芐　五味子各一錢　熟附子　肉桂
麥門各五分　煨姜棗　蓮肉水煎

定痛消毒飲　治腦疽此毒受在腎藏虛實熱壅上腦戶結伏成毒也

人參　當歸　升麻　川芎　白芍
桔梗　枳殼　茯苓　半夏　柴胡
羌活　防風　厚朴　白芷　花粉
甘草　生姜燈心水煎服

三香內托散　治腦疽

人參　木香　黃芪　厚朴　紫蘇
枳殼　官桂　烏藥　白芍　白芷

川芎　防風　乳香　甘草

姜水煎服

黄連消毒飲　太陽經積熱挾風濕虛者

其進退出入可以用之活法也

羌活當歸湯　治腦疽

黄芩酒炒　歸身酒浸　黄連酒　甘草炙各一兩

羌活　黄柏酒　連翹各五錢　澤瀉　獨活

藁本各三錢　梔仁　防風各五分

水煎酒一匙煎温服

止痛當歸湯　治腦疽發背穿潰痛

當歸　黄芪　人參　官桂　芍藥

生芐　甘艸炙各一兩　水煎服

東垣黄連消毒散　治腦疽背疽焮腫疼

痛或麻木

黄連炒　羌活各一分　黄芩　黄柏　桔梗

藁本　防巳各五分　歸尾　知母炒　連翹

防風　獨活　生地各四分　人參　甘草

各三分　黄芪　蘇木　陳皮　澤瀉

各二分　右水煎服

五香連翹湯　治腦疽竈疽時毒邪氣鬱

矣

滯不行者方見腫瘍去麝香加黄芪水煎服

千金托裡散　竈疽生于腦前者名腦發

又名雞冠發若生于腦後枕處者名枕

發但宜用此

紅內消　秦歸身　大川芎

穿山蜈蚣　小黄芪各二錢　山慈姑

防風　羌活　白芷頭　五錢　赤芍

川山甲炒成珠各一錢五分　甘草五分

半酒半水煎服毒未成者一貼即消已

成者三貼即破破後膿血去多則氣血

虛弱宜服內補散六貼方能合口

內補散

好人參肺熱作咳者不用此味　小黄芪

秦歸身　大川芎　川厚朴

厚肉桂　防風肉　白芷頭

甘草節各等分　水煎服○如四邊紅

不退加紅內消山慈姑去肉桂○如濃

膿閉毒倍加川芎○如膿水清不乾倍

加黄芪

內疎黄連湯　治枕疽此毒因風熱上攻

入於内發此疽疾量人年紀老少用藥
人年五十以上難治少壯可治
黄連　芍藥　當歸　山梔　檳榔
木香　薄苛　連翹　茯苓　黄芩
桔梗　甘草各一錢
右除木香檳榔為末外餘剉每一両水
煎八分入檳香二末和服之吃三服後
加大黄一錢再加二錢以利為度

鬢疽　痄腮　發頤

○竇漢卿云此症属手少陽三焦相火是
脾胃心肺熱氣結成毒○陳實功云此
經多氣少血肌肉相薄凢有患最難瘡
潰又云形色多紫黑瘡多平陷堅硬無
膿毒流耳項者不治
四物湯　鬢疽属血虚者方見潰瘍
依本方加人參黄芪
補中益氣湯　鬢疽属氣虚者方見癰疽
清肝流氣飲　治鬢疽此毒受在牙根耳
聤通于肝腎氣血不流壅滞頰腮此是
風毒症
桔梗　枳殻　防風　前胡　羌活
青皮　生芐　黄芩　獨活　川芎
當歸　茯苓　柴胡　甘草　芍藥
姜棗水煎○痄腮毒加荊芥白芷薄苛
石膏黄芪去青皮當歸柴胡茯苓獨活
黄芩○耳風毒去當歸加烏藥薄苛白
芷石膏

內托流氣飲　治發鬢毒此毒受在手陽明經氣虛風熱上壅風毒成瘡

依本方去木香肉桂檳榔加細辛防風鼠粘　方見腫瘍

柴胡清肝湯　治鬢疽初起未成者毋論陰陽表裏俱服

川芎　當歸　柴胡　黃芩炒　人參各一錢　山梔炒　桔梗　連翹各八分　甘草五分　水煎服◯正宗無人參桔梗有白芍生苄防風鼠粘花粉

鼠粘子湯　治鬢疽初起熱多寒少頭痃作痛口燥咽乾渴常飲冷二便祕澁六脈沈實有力煩悶疼痛者

鼠粘　桔梗　當歸　赤芍　連翹　玄參　防風　木通　骨皮　花粉　大黃　水煎服

加味逍遙散　治鬢疽七日以上根盤深硬色紫焮痛者

一依本方加牡丹山梔陳皮天花粉貝母紅花羚羊角淡竹葉

梔子清肝湯　治少陽經虛肝火風熱上攻遂成鬢疽痛連頸項胸乳等

一鼠粘　柴胡　川芎　白芍　石膏　當歸　山梔　牡丹各二錢　黃連　黃芩　甘草各五分　水煎服

清肝解鬱湯　治暴怒傷肝憂思鬱結致肝火妄動發爲鬢疽頭痃痛徹太陽胸膈痞連兩脇嘔酸水皆服

方即六君子湯合四物湯加貝母山梔柴胡牡丹陳皮香附

參芩內托散　治鬢疽已成堅而不潰潰而不斂氣血俱虛身凉脉細飲食少思口淡無味及形體消瘦者

方即十全大補湯加陳皮牡丹皮地骨皮山藥熟附子方見癰疽

四物湯　腎水不能生木以致肝膽火盛血燥鬢及頭目腫痛者

依本方加玄參柴胡桔梗甘艸

補中益氣湯　鬢疽腫痛寒熱喘渴自汗者方見潰瘍

依本方去升麻柴胡加麥門五味子炮
姜
托裏流氣飲　治鬢疽
方即千金內托散去白芷桔梗加木香
烏藥白芍姜棗水煎方見癰疽
犀角升麻湯　治陽明經絡受風熱口唇
頰車鬢鬚腫及鼻額間連頭痛不可開
口雖言語飲食亦相妨
犀角七錢半　升麻半兩　白附子　川芎
白芷各二錢半　羌活三錢一字　防風　黃芩各三錢半
甘草一錢半　水煎服◯一方無川芎
仙方活命飲　治痄腮屬陽明熱所致急
服方見腫瘍
依本方加玄參黃芩黃連水酒煎服
◯或加升麻桔梗黃連
連翹敗毒散　治發頤初腫服此消
羌活　獨活　荊芥　防風　柴胡
川芎　桔梗　歸尾酒　殭蠶炒　花粉
各中　連翹上　紅花酒洗　蘇木　升麻
甘草各下　水酒各一鍾煎◯腫至面

五九

者加白芷一錢漏蘆五分◯大便燥實
者加酒浸大黃一錢半◯凡內有熱或寒
熱交作者倍柴胡加酒洗黃芩酒炒黃
連各一錢
加味消毒飲子　治搭腮腫
防風　荊芥　連翹　殭蠶　羌活
甘草各等分　水煎服
內托消毒散　治發頤有膿不可消者已
破未破服之
黃芪上　人參　防風　銀花　白芷
川芎　當歸　桔梗　連翹　升麻
柴胡　甘草各中　水酒各一鍾煎
溫服
柴胡葛根湯　治頤毒表散未盡身熱不
解紅腫堅硬作痛或初起身熱口渴者
柴胡　乾葛　黃芩　桔梗　連翹
石膏　殭蠶　花粉各一錢　升麻三分
甘草五分　水煎服
牛蒡甘桔湯　治頤毒表邪已盡耳項結
腫微熱不紅疼痛者或初起身冷不渴

者
鼠粘 桔梗 陳皮 花粉 黃連
川芎 赤芍 藁本 甘草各一錢
水煎服
不換金散 治發頤毒此毒傷寒餘毒不
散汗發不透故發此疽在頭耳一寸三
分在心窩兩脇在身者可治
人參 茯苓 木香 陳皮 半夏
厚朴 藿香 蒼术 水煎服後再
服乳香護心散方見腫瘍
人參養榮湯 發頤老弱者用之或黃芪
內托散十全大補湯若治不得法延及
咽嗌潰爛穿口不食者死
托裏消毒散 腫深不退欲作膿者

六十
癭瘤 結核
○竇漢卿云癭瘤受症陽在六腑流在經
絡風寒濕熱傷于心肝脾腎之經血聚
不散日漸增長或有破者○陳實功云
癭者陽也色紅而高突或蒂小而下垂
瘤者陰也色白而漫腫亦無痒痛○王
宇泰云癭瘤隨氣凝滯皆因臟腑受傷
氣血乖違當求其屬而治其本○龔廷
賢云凡人頭面頸頰身中有結核不痛
不紅不作膿者皆痰注也
八珍湯 治癭瘤屬肝膽二經者
依本方加龍胆山梔方見潰瘍
四物湯 治癭瘤屬肝火血燥者
依本方加牡丹山梔生芐龍胆酒炒黑
十全流氣飲 治憂鬱傷肝思慮傷脾致
不行逆於肉裡乃生氣癭肉瘤皮色不
變日久漸大者
陳皮 赤茯 烏藥 川芎 當歸
白芍各一錢 香附八分 青皮 甘草各六

木香三分　姜棗水煎服

海藻玉壺湯　治癭瘤初起或腫或赤不赤但未破者服

海藻　貝母　陳皮　昆布　青皮

當歸　川芎　半夏　連翹　獨活

甘草各一錢　海帶五分　水煎服

活血散瘀湯　治癭瘤已成日久漸大無痛無痒氣血虛者

方即四物湯加人參茯苓牡丹皮陳皮半夏各一錢　紅花昆布木香甘草節各五分

青皮肉桂各三分　水煎服後飲酒

海藻連翹湯　治諸般結核瘰癧馬刀癭瘤痰核

茯苓　陳皮　半夏姜　南星姜　連翹

黃芩酒炒　并黃連同　三稜酒炒　莪朮酒炒

柴胡　黍粘炒　夏枯草　殭蚕炒

昆布　海藻　羌活　防風　桔梗

川芎　升麻

生姜薄荷水煎服

五香散　治肉中忽有惡核生腫硬不消惡肉惡脉瘰癧風毒腫氣

木香　丁子　沈香各一兩　麝香二錢半

射干　薰陸　乾葛　升麻　獨活

連翹　桑寄生　甘草各兩　大黃微炒三兩

水煎入竹瀝溫服

獨活散　治惡核風結腫毒四肢煩熱拘急

桑寄生　獨活　木香　射干

連翹　升麻　沈香　大黃　甘草

各一兩　水煎入竹瀝溫服

清肝益榮湯　治肝膽小腸經風熱血燥筋攣結核或耳項胸乳脇肋作痛或作痿子並一切肝火之症

山梔　當歸　木瓜　茯苓各一錢

柴胡　川芎　芍藥各七分炒　熟芐一錢半

白朮二錢　龍胆六分　甘草五分炙

姜水煎

八物湯　治筋瘤

依本方加山梔木瓜龍胆炒黑

四物湯　治血瘤

依本方加茯苓遠志
歸脾湯 治肉瘤
補中益氣湯 治氣瘤
腎氣丸 治骨瘤
大連翹飲 風熱結核用之
依本方加殭蠶牛蒡子
二陳湯 結核在下頦者
依本方加酒炒大黄黄連連翹桔梗柴胡○在臂加連翹防風川芎酒芩蒼术皂角刺僵蠶麝香行太陰厥陰之積痰使結核自消甚捷

流注 痰注

○王宇泰云流注之證皆因氣血凝滯而成或生於四肢關節或生於胸腹腰臀或結塊或漫腫或作痛皆元氣虧損所致○陳實功云跌打損傷瘀血凝滯或産後惡露未盡流滯經絡此等種々皆成斯疾也○竇漢卿云若流注于手脚腿者死無疑矣

敗毒流氣飲 治流注初起堆核硬痛不可忍者此藥踈邪
羌活 獨活 木香 赤芍 當歸
紫蘇 陳皮 香附 白芷 三稜
莪术 枳殼 川芎 桔梗 柴胡
赤茯 半夏 甘草 生节
生姜水煎○熱加大黄黄芩○虛加黄芪人參

健脾滲濕飲 治瘡瘍初起焮腫作痛或湿毒下注或環跳穴痛
人參 白术 茯[illegible] 防巳 酒川芎

黃栢炒 陳皮 當歸 蒼术炒各五 木瓜
柴胡 甘草各三分 姜水煎○不退加
桂少許○小便澁加牛膝○身痛加羌
活

調和榮衛湯 治流注初起氣血凝聚結
腫不散已成未成
川芎 當歸 陳皮 獨活各一戔
赤芍 大茴 白芷 烏藥 黃芪
各八分 紅花 甘草炙各五分
水煎服○下部加牛膝

六鬱湯 治鬱結腫及湿痰流注
方即二陳湯加川芎蒼术山梔子砂仁
香附子

木香流氣飲 治流注瘰癧及鬱結為腫
或血氣凝滯遍身走注作痛
川芎 當歸 紫蘇 桔梗炒 青皮
陳皮 烏藥 黃芪炒 枳實炒 茯苓
防風 半夏姜 白芍各一戔 腹皮 木香
檳榔 澤瀉 枳殼 甘草節各五分
牛膝一戔 姜枣水煎○準繩無澤瀉
牛膝名方脉流氣飲○流注加羌活獨
活白芷○瘰癧加夏枯草○血滯加肉
桂

附子八物湯 治房慾後陰虛受寒致生
腫䐈又或遍身腿脚疼痛不能步履
方即依本方加附子一錢肉桂木香各五分
姜棗水煎

瘡科流氣飲 治流注及一切鬱怒凝滯
氣血作腫疼痛或胸膈痞悶或風寒湿
毒搏于經絡結成腫䐈者肉色不變或
漫腫木悶無頭
當歸 紫蘇 人參 白芍 官桂
防風 枳殼 烏藥 黃芪鹽水炒
桔梗 厚朴姜 甘草各七分 檳榔 木香
川芎 白芷各五分 姜水煎○疼痛加
乳香沒藥○流注加羌活獨活○氣滯
加香附○胃虛加陳皮

通經導滯湯 治婦人產後敗血流注經
絡結成腫䐈疼痛者
香附 赤芍 川芎 當歸 熟芐

陳皮　紫蘓　牡丹　紅花　牛膝
枳殼各一戔　獨活　甘草各五分
水煎入酒食前服

醒脾湯　治懷抱欝結思慮傷脾致脾氣不行逆于肉裡乃生壅腫疼痛不眠心煩不安神氣不清等症

白朮　黄芪　人參　茯神各一戔
酸棗　骨皮　遠志各七分　香附子
柴胡　桔梗　黄連　木香　甘草各五分　圓眼肉七個　姜棗水煎

調中大成湯　治流注潰後膿水清稀飲食減少不能生肌收斂

方即異功散加當歸白芍山藥黄芪牡丹藿香砂仁遠志附子肉桂

散血葛根湯　治跌撲傷損瘀血凝滯結成流注身發寒熱者

乾葛　半夏　川芎　防風　羌活
升麻　桔梗各八分　白芷　香附　細辛
蘓葉　紅花　甘草各六分
姜葱水煎服

取汗流氣飲　治氣毒流注

川芎　白芷　升麻　當歸　羌活
獨活　烏藥　木香　紫蘓　防風
荆芥　蒼朮　厚朴　肉桂　麻黄
黄芩　桔梗　柴胡　白芍　甘草
姜棗水煎熱服出汗爲妙○霖雨加蒼朮澤瀉次服內托千金散大加黄芪

加減二十四味流氣飲　治散走流注發此症風盛而生熱之症

陳皮　半夏　升麻　干葛　澤瀉
茯苓　蒼朮　厚朴　木香　羌活
獨活　防風　荆芥　薄荷　黄芩
川芎　當歸　生芐　白芍　黄芪
青皮　木通　白芷　甘草
姜葱水煎○冬天加紫蘓柴胡

參芪內托十宣散　治散走流注

人參半戔　升麻　茯苓　花粉　川芎
生芐　白芍　黄芩　烏藥　前胡
黄栢　知母各一戔　黄芪　白朮　當歸
澤瀉各三戔　陳皮八分　甘草三分　水煎服○

冬加肉桂

人參內托散　治痰注六氣七情所感不能流行結一處伏經絡之間背為明堂月深日久結成囊窠內連臟腑外隔皮毛宜早治其如纏袋形或圓或如米袋堅硬如石

人參　白术各二戔　陳皮　黄芩酒炒
蒼术　厚朴姜汁拌炒　升麻　烏藥
桔梗　黄芪　茯苓　川芎　白芍
白芥子各一戔　半夏　當歸　天花粉
枳實各一戔半　香附　麥門　黄連各五分
青皮八分　防風七分　甘草四分

姜五片　砂仁末五分　煎臨服加竹瀝姜汁和服之

一方　治痰注

黄連　茯苓各一戔五分　蒼术炒　白术各二戔
猪苓　澤瀉各一戔　甘草七分　人參
蓮肉　車前子　芍藥炒　黄芩炒各五分

姜棗水煎服

千金內托散　治血潰流注生膏粱形重之人腫不紅內串經絡之間流注骨節之內遍身百節疼痛

依本方加木香白芍藥連翹再服護心散黄九丸方見癰疽

赤白遊風 瘾疹

○王宇泰云屬脾肺氣虛腠理不密風熱相搏或寒閉腠理內熱怫鬱或陰虛火動外邪所乘或肝火風熱血熱若用祛風辛熱之劑則肝血愈燥風火愈熾元氣愈虛腠理不閉風客內淫腎氣受傷相火翕合血隨火化反為難治矣

加味羌活散 治風寒暑濕外搏肌膚發為瘾疹增寒發熱遍身瘙痒或赤或白心迷悶亂

羌活 前胡各一兩 人參 枳殼炒 桔梗 川芎 天麻 茯苓 甘草各炙半兩 蟬蛻各三錢 姜水煎

羚羊角散 治風瘾疹遍身痒痛心胸滿悶

羚羊角 白蘚皮 白蒺藜 防風 麻黄 羌活 甘草各炙半兩 杏仁炒 人參 黄芩各七錢半 生芐水煎去渣入酒再煎服

六

和肝補脾湯 治風熱瘡疹脾土不及肝木大過

人參 陳皮 川芎各五分 山梔炒四分 白术 茯苓 芍藥各七分 柴胡 甘草各炙三分 水煎服

益脾清肝湯 治肝脾風熱瘡寒熱體痛脾虛弱

方即四君子湯加川芎當歸黄芪柴胡牡丹

九味羌活湯 遊風赤屬血熱者

依本方加金銀花連翹 嬰孩小兒赤白丹毒

葛根白术散

白术 枳殼各一錢 木香一錢半 茯苓三錢 葛根三錢 甘草二錢半炙 水煎服

生料四物湯 治血熱生瘡遍身腫痒及脾胃常弱不禁大黄等冷藥

依本方以熟芐代生芐加防風黄芩

小柴胡湯 赤白遊風屬風熱者

依本方加防風連翹

四物湯 同屬血熱者

依本方加柴胡山梔子牡丹皮

荆防敗毒散　風熱相搏者用之

補中益氣湯　胃氣虚弱者

依本方加羗活防風

犀角消毒飲　因瘟疫熱燥者主之大便易泄脾胃虚者不可用之

犀角　防風　荆芥　牛蒡子

甘草　水煎服

玄參升麻湯　治風疹

玄參　升麻　芍藥　防風　甘草

姜水煎服

石南湯　治風癮疹瘙之則作瘡風尸身痒卒風面目腫起者

石南葉　乾姜炮　細辛　黄芩

人參各一兩　桂心　麻黄　當歸

芎藭各一兩半　乾芐七半　炙　水酒煎熱服

衣盖令出汗

火丹　眼丹

○陳實功云心火妄動三焦風熱乘之故發於肌膚之表有乾濕不同紅白之異乾者色紅形如雲片上起風粟作痒發熱此属心肝二經之火也湿者色多黄白大小不等流水作爛又且多疼此属脾肺二經之濕熱也

乳母流氣飲　治丹毒

歸須　赤芍　升麻　黄連　鼠粘

連翹　生芐　黄芩　薄苛　青皮

花粉　木通　黄栢　檳榔　柴胡

甘草　水煎服

敗毒和氣飲　治火腰帶毒

桔梗　防風　前胡　羗活　獨活

赤芍　連翹　薄苛　荆芥　石膏

枳殻　黄連　白茯　歸須　青皮

黄芩　甘草　水煎服

連翹敗毒散　治丹丹從脇下至腰下腫發赤色

連翹　當歸　黄芩　麥門　木通
柴胡　黄連　生苄　甘草　前胡
姜棗水煎
仙方活命飲　治纏腰丹毒遶腰生瘡累
累如珠又名火帶瘡方見腫瘍
依本方加黄芩黄連黄栢
升麻葛根湯　丹毒通用清火去湿
依本方加白朮茯苓木香枳殼
清心流氣飲　治上下眼丹此毒受在心
肝氣毒上攻壅而聚此丹毒也
茯苓　防風　柴胡　羌活　川芎
獨活　紫蘇　連翹　赤芍　白芷
人參　前胡　山梔　甘草
水煎服
化班解毒湯　治三焦風熱上攻致生火
丹延及遍身痒痛者
玄參　知母　石膏　黄連　升麻
連翹　鼠粘　人中黄各等分　甘草減半
竹葉水煎服
除濕胃苓湯　治脾肺二經湿熱壅遏致

六八

生火丹作爛疼痛者
依本方加防風山梔木通滑石
升麻葛根湯　治丹毒身體發熱面紅氣
急啼叫驚搐等症
依本方加柴胡黄芩山梔木通
大連翹飲　治小兒丹毒發熱痰涎壅盛
一切諸瘡痧疹頸項生核或傷風傷寒
時行發熱等症
方即連翹飲去活蔞根地黄加車前子
柴胡蟬蛻滑石方見疥癬
消毒犀角飲　治小兒丹毒身熱氣麤啼
叫驚搐不寧等症
犀角　防風各一錢　黄連三分　甘草五分
燈心水煎服
四物湯　小兒頻浴或著烘衣丹發
依本方加連翹山梔
四君子湯　因飲食發熱而發丹
依本方加柴胡神曲
五香湯　治丹毒
青木香　藿香　沈香　丁香

薰陸香各一兩　水煎服

天泡瘡

○竇漢卿云即丹毒之類而有泡者由天行少陽相火為病初起成泡如豌豆瘡根赤頭白或頭赤赤隨處而起若自裏達於外發在春夏三焦俱熱則服通聖散○又云狀如水泡屬肺胃二經風熱若發熱焮痛邪在表也熱渴便秘邪在內也

六九

清肌燥濕湯　治天疱瘡

蒼朮　白朮　升麻　澤瀉　木通
生芐　白芍　苦參　黃柏　知母
黃芩　茯苓　枳殼　連翹　柴胡
甘草　姜棗水煎服

柴芍參苓散　治肝胆經分患天泡等瘡或熱毒瘰癧之類

方即異功散加柴胡芍藥牡丹皮當歸山梔炒

加味解毒飲　治天泡瘡發熱作痛

玄參　連翹　升麻　芍藥　當歸
羌活　生芐　牛蒡子各炒三錢　金銀花
漏蘆各五錢　茯苓　甘草各錢
水煎服

解毒瀉心湯　治心經火旺酷暑時臨致天泡發及遍身者

黃連　防風　荊芥　黃芩　玄參
知母　滑石　石膏　牛蒡子
山梔各一錢　木通　甘草各五分
燈心水煎服

清脾甘露飲　治脾經濕熱鬱遏乃生天泡下體多而疼痛者

白朮　赤茯　山梔　茵陳　麥門　生芐　黃芩　枳殼　蒼朮　澤瀉　連翹　玄明粉　甘草各等分

竹葉燈心水煎服

大麻風　癩風　癧瘍瘋

○陳實功云乃天地間異症也其患先從麻木不仁次發紅斑久則破爛浮腫無膿又云皮死麻木不仁肉死刀割不痛血死破爛流水筋死指節脫落骨死鼻梁崩塌有此五症俱為不治總皆風濕相乘氣血凝滯表裏不和臟腑痞塞陽火所變此其根蒂也

胡麻散　治大麻風毒風熱癮疹搔痒

胡麻子十二兩　何首烏　威靈仙　苦參　荊芥　白蒺藜炒　鼠粘子　菊花　防風　石菖蒲　甘草炙各八兩

為細末用酒調下日午半夜服之

○一方有蔓荊子六錢

加味清胃散　治熱毒在表以比發散之

升麻　白芷　防風　芍藥　干葛　當歸　川芎　羌活　麻黃　木賊　浮萍紫背　甘草　水煎服

透經解攣湯　治風熱筋攣骨痛

山甲三钱炮 荊芥 紅花 蘓木 羌活
當歸 蟬蛻 天麻 甘草各七分
白芷一钱 連翹 川芎各五分
水酒各半鍾煎

秦艽地黃湯 治風熱血燥筋骨作痛
方即四物湯以熟芐代生芐加蔓荊子
鼠粘升麻白芷荊芥防風羌活甘艸各
一錢

羌活當歸散 治風毒血熱頭面生瘡或
赤腫或成塊或瘾疹瘙痒膿水淋漓
羌活 當歸 川芎 黃連酒炒 防風
鼠粘 荊芥 連翹 黃芩酒炒 白芷
升麻 甘草各一钱 用酒拌晒乾水煎

羌活白芷散 治風熱血燥手掌皴裂或
頭面生瘡或遍身腫塊或膿水淋漓
蔓荊 皂角 羌活 白芷 柴胡
防風 荊芥 黃連酒炒 黃芩酒炒
甘草 水煎服

天麻散 治一切癘風癩疾
天麻二两 何首烏 胡麻子各三两

七一

蔓荊子 威靈仙 牛蒡子炒
地骨皮 白蒺藜 甘菊花
荊芥穗 苦參 菖蒲各一两 薄荷半两
為末每服三錢温酒調下茶清亦得日
進二服先食前服半月次食後服半月
大有神効

蠲痺散 治癩風肢節拳攣
羌活 獨活 白芷 皂刺各五分
當歸 白术各一钱半 土茯苓五钱
赤芍一钱 水煎服此養血祛風

換骨丸 一切疥癬風疾
苦參 浮萍各一两半 大黃 槐花
白芷 川芎各一两三钱 乳香 沒藥
沈香 木香各三钱 蒼术一两 麝香五分
為末用麻黃五斤煎膏和丸彈子大每
一丸臨臥温酒化下忌風○一方加當
歸防風甘松白花蛇去蒼术麝香尤妙

何首烏散 治白癜紫癜諸風筋骨疼痛
或疥癬手足皸裂睡臥不穩行步艱難
兼療癘疾

何首烏　蔓荊子　石菖蒲
荊芥穗　甘菊花　枸杞子
葳霊仙　苦參各半兩
右為末每服三五錢食後温酒調下茶
清或蜜水亦得

胡麻丸　治癜風初起皮膚作痒後發癜
風漸生開大者
大胡麻四兩　防風　葳霊仙　石菖
苦參各二兩　獨活　白附子各一兩　甘草五錢
右為末酒漿跌成丸子每服二錢形瘦
者一錢五分白滾湯送下

烏蛇散　治癧瘍瘋風邪積熱居於肺腑
久而不散流滋皮膚令人頸邊胸前腋
下自然班駁點々相連其色微白而圓
亦有紫色者亦無痒痛謂之癧瘍瘋
烏蛇三兩　羗活　防風　黄芩
苦參各二兩　犀角屑　人參　丹參
玄參　沙參　桂心　秦艽　川芎
白蘚皮　梔子　通草　白蒺藜
升麻　枳殼各一兩

右為末每服二錢温酒調下食後良久
服之忌雞豬魚蒜熱麵等物

疥癬　浸淫瘡

○王宇泰云夫疥癬者皆由脾經濕熱及肺氣風毒客於肌膚所致也風毒之浮淺者為疥風毒之深沈者為癬盖癬者則發於肺之風毒而疥則兼乎脾之濕熱而成也○竇漢卿云發于上者屬陽易治發于下部胯間脚腿屬陰難愈年久者癬內濕熱所化有疥虫極痒其名有六焉

當歸飲子　治風熱瘡疥癬痒發見皮膚徧身或作疼痛

當歸　川芎　白芍　生地　防風
荊芥　白蒺藜各一戔半　黃芪　何首烏
甘草各一戔　姜水煎或為末服

防風通聖散　治風熱瘡疥久不愈

依本方去芒硝大黃加浮萍皂角

獨活寄生湯　治風熱疥瘡久不愈

依本方加牛膝木瓜防已方見附骨疽

加減五香湯　治疥癬小瘡瘑瘡及小兒

十三

頭瘡

沈香　木香　乳香　丁香　藿香
升麻　葛根　連翹各一戔　木通
大黃各五分　水煎服

紫花地丁散　治諸惡毒瘡腫疼

紫花地丁　當歸　大黃　黃芪
銀花　赤芍各半兩　甘草節二戔

水酒各一盞煎服

祛熱搜風飲　治疥及膿疱瘡

銀花　苦參君　柴胡　黃栢炒　生地
黃連炒　黃芩　荊芥臣　枳殼　獨活
薄荷　連翹　防風佐　甘草使蜜炙

水煎服

踈風滌火湯　治癬瘡

半夏　升麻　薄荷　菖蒲　生地
當歸　防風　荊芥　苦參　白术
白芍　桔梗　白芷　連翹　羌活
黃芩酒炒　花粉　白蒺藜　甘草

水煎服

加味當歸飲子　治諸瘡瘍諸痛痒皆屬

心火火鬱則發之
依本方加升麻五錢 柴胡 羌活 黃芪各三錢
紅花 蘓木各一錢

連翹飲 治諸惡瘡紅赤痛痒心煩口乾及婦人血風赤班圓點開爛成瘡痒痛流黃水汁
連翹 當歸 栝蔞根 生乾苄
荊芥 黃芩 赤芍 麥門 山梔
瞿麥 木通 鼠粘 防風 川芎
粉草各等分 燈心 水煎不拘時服

一方 治癬瘡
浮萍一兩 蒼耳 蒼朮各二兩 苦參一兩半
黃芩半兩 香附二兩半
為細末酒調服或酒糊丸

升麻湯 治浸淫瘡此症淺搔之蔓延長不止搔痒者心有風熱生浸淫瘡徧體
升麻 大黃炒 黃芩 枳實炒 芍藥各一兩
當歸焙 甘草炙各半兩
燈心 水煎服

竇氏升麻湯 治風熱身如虫行或脣反

綻裂
人參 防風 羌活 茯苓 犀角
官桂各一錢 升麻三分 水煎服 ○一方有羚羊角

白蒺藜散 治熱毒瘡瘙痒心神壅躁或膿窠瘡
白蒺藜炒 蘚皮 防風 黃芩
梔子 麥門焙 玄參 桔梗 赤芍
前胡 大黃炒 甘草炙各一兩
為末用薄荷湯調服

秦艽湯 治風熱毒熱氣客於皮膚遍身生瘖瘟如麻豆
秦艽一兩 防風 黃芩 鼠粘炒 麻黃
玄參 犀角 枳殼 甘草炒 升麻
水煎服

消毒散 治疥癬
防風一兩 荊芥穗三兩 黍粘子四兩 甘草二兩
水煎服

四君子湯 治小兒經絡蘊熱頭面及身體生瘡

依本方加瓜蔞桔梗

消風散 治風濕浸淫血脉致生瘡疥搔
痒不絶及大人小兒風熱癮疹
當歸 生苄 防風 蟬脫 知母
苦參 胡麻 荆芥 蒼术 石膏
鼠粘 各一戔 木通 甘草 各五分 水煎服

升麻和氣飲 治瘡疥發於四肢痛痒不
常甚至增寒發熱臍下濕痒虛此藥不
寒不熱半陰半陽者宜之
升麻 乾葛 蒼术 大黃 煨 桔梗
甘草 各一戔 陳皮 戔二 白芷 當歸 茯苓
半夏 枳殼 干姜 各五分 白芍 一戔半
姜灯草水煎服〇一方有厚朴 姜半戔

加味羌活散 治小兒四氣外搏肌膚發
為癮疹增寒發熱身痒
羌活 前胡 各一兩 人參 桔梗 茯苓
川芎 枳殼 炒 天麻 甘草 炙 各半兩
滛蚘 薄苛 姜水煎服

麻黃散 治上體生瘡或痒或痛黃水浸
淫結痂推起蔓延於三陽之分根窠小

七五

帶紅腫此是濕熱症
麻黃 防風 蒼术 各半兩 紫背萍
黍粘子 各七戔半 黃芩 四兩 滑石 一兩
羌活 石膏 煅各六戔半 縮砂 荆芥 各二戔半
蒼茸 甘草 各三戔半 水煎入酒熱服

加味當歸養血湯 瘡疥有血無膿搔痒
不止者此方主之
黃芪 連翹 當歸 防風
水煎服〇若膿日久不乾去黃芪加白
术茯苓

加味逍遥散 治血虛有熱遍身瘙痒心
煩目昏怔忡頰赤口燥咽乾發熱盜汗
食少嗜臥

祛風敗毒散 治風瘡疥癬癮疹紫白癜
風赤遊風血風臁瘡丹瘤及破傷風
枳殼 赤芍 前胡 柴胡 各五分
荆芥 薄苛 鼠粘 蒼术 各六分
獨活 姜蚕 連翹 各七分 川芎
羌活 各八分 蟬退 甘草 各三分
姜水煎〇在上部者加桔梗〇在下部

者加牛膝木瓜○濕熱成患而在下者
去蟬退姜蚕
連歸湯　治瘡疥諸瘡痛
黄連　當歸各一錢　連翹　黄芩各七分
甘草三分　水煎服○黑瘦人合四
物湯加大楓子黄栢○肥白人加防風
羌活白芷蒼术荊芥○禀受實者合四
物加大黄芒硝
四物湯　五疥便利者為相火鬱於肺
依本方加黄芩連翹天門冬
八物湯　五疥含漿膿清色淡不痛便利
者為腎虚火
依本方加知母黄栢
除濕散　治一切風毒疥癬癩痒狀如風
癩
苦參　何首烏　荊芥穗　蔓荊子
薄荷各一兩　白芷　天麻　川芎　防風
烏蛇酒浸一宿焙乾各半兩　右爲細末每服
三錢茶酒任調下
白术湯　治小瘡疥癬癮疹浮冷而後小

便不通為水腫
白术　茯苓各三分　升麻　防風各三分
半夏三分　人參　厚朴各二分　熟附子一分
甘草少　水煎服重衣被出汗
薄萍散　治諸風癬疥癩瘡
薄萍　當歸　川芎　荊芥　麻黄
赤芍　甘草各二錢　水煎服出汗
羌活白芷散　治風熱血燥手掌皴裂或
頭面生瘡或遍身腫塊或膿水淋漓
羌活　白芷　荊芥　蔓荊子
防風　牙皂　黄芩酒炒
甘草各一錢　右水煎服
羌活當歸散　治風毒血熱頭面生瘡或
赤腫或成塊或癮疹搔痒膿水淋漓
羌活　當歸　川芎　升麻　防風
白芷　荊芥　連翹　黄連酒炒
黄芩酒炒　鼠粘子炒　甘草
右用酒拌晒乾酒煎服

臁瘡 腎風瘡 風疳 下注瘡

○陳實功云臁瘡者風熱濕毒相聚而成有新久之别內外之殊○王宇泰云外臁屬足三陽濕熱可治內臁屬足三陰虛熱難治矣

內托流氣飲 治臁瘡

蒼术 黃栢 青皮 芍藥 當歸
白术 檳榔 川芎 羌活 獨活
木瓜 白芷 牛膝 杜仲 甘草

姜水煎○冬加薄桂○夏加黃芩

內托清氣飲 治臁瘡

人參 白术 茯苓 陳皮 官桂
白芍 紫蘇 枳殼 當歸 蒼术
羌活 獨活 川芎 白芷 甘草

姜水煎服

紫蘇流氣飲 治臁瘡並委中毒

紫蘇 厚朴 香附 烏藥 檳榔
杜仲 木瓜 枳殼 桔梗 川芎
防風 當歸 甘草

姜棗水煎○排膿加人參黃芪

一方 治兩足瘙痒生瘡連年累月俗為腎風瘡

黃芪 牛膝各一兩 羌活 白附 獨活
川芎 防風 木香各二錢半 白蒺藜一兩

為末煉蜜丸空心鹽湯送下

檳蘇敗毒散 治婦人臁瘡初起發腫赤痛屬熱所乘

方即人參敗毒散加檳榔紫蘇

當歸拈痛湯 治一切風濕熱毒浸淫瘡瘍下注濕毒脚膝生瘡赤腫裏外臁瘡

檳蘇散 治鞋帶瘡寒濕相聚而成

紫蘇 枳殼 厚朴 芍藥 陳皮
青皮 腹皮 香附 檳榔 防風
甘草 姜棗水煎

加味逍遥散 治雁來風

氣虛者佐以補中益氣湯加鈎藤皂角刺○血虛者佐以八物湯加柴胡牡丹皮

防風湯 治風毒中人留血脉[illegible]散與榮

衛相搏結成風疽身體煩熱昏冒腫痛

此症脚腨及曲瞅中癢搔則黄汁出名

風疽

防風　柴胡　白芷　當歸焙　木通

羌活　桔梗炒　附子炮　麻黄焙去沫

甘草各一两炙　水煎臨卧服慎外風

獨活寄生湯　治膝瘡

依本方加牛膝木瓜防巳

補中益氣湯　雁来風脾胃虚弱者為主

之佐以六味丸四生散為善

四生散　治臁腿瘡涺不愈並治風癬疥

癩血風瘡

白附子　蒺藜　黄芪蜜炙

羌活各等分　為末每服二錢鹽酒調

下〇一方羌活作獨活

防風通聖散　治下注瘡脚膝間臁水不

絶連年不愈亦名濕毒瘡因脾胃濕熱

下注以致肌肉不仁而成瘡也在外屬

足太陽少陽經在内屬足厥陰足少陰

經

依本方加木瓜防巳牛膝之類

檳蘇散　治風濕流注脚脛酸痛或嘔吐

不食

檳榔　木瓜　陳皮　炙甘草各一錢

香附　紫蘇各五分

水一鍾半生姜三片葱白三莖煎一鍾

空心服

下疳瘡 陰虱 筋疳 婦人陰瘡

○竇漢卿云此瘡之生皆由臟中虛怯腎氣衰少風邪入腑毒惡損傷榮衛或與有毒婦人交接不曾洗淨故時痛時痒以漸成竅作疳膿水湧流此處乃肝經所屬之分野也

清濕瀉肝湯 治陰蝕瘡陰汗燥臭故莖根生疳瘡

升麻 羌活 柴胡 知母 黃栢
澤瀉 青皮 川芎 生芐 蒼朮
木通 龍胆 甘草 水煎服○熱加黃芩○小便不利加車前子○虛加人參

又方 氣弱無力莖根下生瘡膿水不止者

人參 黃芪 當歸 柴胡 升麻
黃栢 知母 龍胆 紅花 白芍
黃芩 甘草 水煎服

防風羌活散 治下疳

防風 羌活 荊芥 獨活 黃芪
鼠粘 山梔 木通 蒼朮 車前
花粉 甘草 水煎服

一方 治內外蛀疳瘡並小便一切疳疾

蒼朮 黃栢 滑石各二錢 秦艽一錢
水煎服○如小便澁滯疼痛加甘草節蒲黃

補中益氣湯 治氣弱無力莖下生瘡膿水不止

依本方加南星蒼朮黃栢知母黃芩牛膝灯草

清肝導滯湯 治肝經濕熱玉莖腫痛小水澁滯作疼者

萹蓄四錢 瞿麥三錢 滑石二錢 甘草一錢
燈心水煎服○便秘加大黃一錢

龍胆瀉肝湯 治肝經濕熱玉莖患瘡或便毒懸癰小便赤澁或久潰爛不愈又治陰囊腫痛紅熱甚者

龍胆 連翹 生芐 澤瀉各一錢 車前
木通 歸尾 山梔 黃連 黃芩

甘草各五分　水煎服○便秘加大黄
○一方無連翹黄連○陰汗及臊臭去
山梔黄芩甘草加柴胡

清肝滲濕湯　治陰囊玉莖濕腫四豬肚
小水不利墜重作痛
蒼术　白术　茯苓　山梔　厚朴
澤瀉　陳皮　木通　花粉　昆布各一錢
川芎　當歸各六分　甘草五分
水煎服○作熱紅色加龍胆黄連

清心蓮子飲　治心經藴熱小便赤澁玉
莖腫痛或莖竅作疼及上盛下虚心火
炎上口苦咽乾煩燥作渴
蓮肉　黄芪蜜炙　黄芩　赤茯　人參各一錢
澤瀉　麥門　地骨皮
甘草炙各五分　水煎服○瘍科準繩有
炒車前子無澤瀉

八正散　治肝經積熱小便淋閉不通
大黄　車前　瞿麥　扁蓄　山梔
木通　滑石　甘草各一錢　水煎服

解毒木通湯　治男婦房術熱藥所傷致

八十

玉莖陰戶痒痛小水澁滯白濁滑精至
夜陽物興舉不得眠者
木通　黄連　龍胆　瞿麥　滑石
山梔　黄栢　知母各一錢　蘆薈　甘草各五分
燈心水煎服

消疳敗毒散　治下疳瘡妙方
防風　獨活各六分　連翹　荆芥　黄連
蒼术　知母各七分　黄栢　赤芍　赤茯
龍胆　木通各九分　柴胡一錢半　甘草二分
燈草水煎服○量虚實加大黄

補心養胃湯　治婦人陰蝕瘡
陳皮　半夏　茯苓　當歸　川芎
白芍　地黄　車前　山梔　滑石
遠志　檳榔　烏藥　青皮　黄連
蒼术　玄胡索　甘草　水煎服

內補托裡流氣飲　治婦人陰蝕瘡
茯苓　澤瀉　豬苓　紫蘇　山梔
黄連　蒼术　當歸　川芎　生苄
白芍　人參　黄芪　木通　青皮
香附　苦參　白蒺藜　甘艸

水煎服

四物湯 治婦人陰瘡腫痛者
依本方加山梔牡丹龍胆柴胡

逍遥散 治婦人陰户不閉小便淋瀝腰中一物攻動脹痛者
依本方加柴胡山梔車前子

茯苓補心湯 治婦人陰戸生瘡或痛或痒膿汁淋瀝〇若濕熱有蟲者去姜棗蘊人參桔梗加苦參艾葉吳茱萸桃仁黄連炒

藿香養胃湯 治陽明經虛不榮肌肉陰中生瘡不愈
藿香 薏苡 神麯 烏藥 砂仁
茯苓 半夏 白术 人參各五分
蓽澄茄 甘草各三分半 姜棗水煎

補中益氣湯 婦人陰中突出如菌子如雞冠四邊腫痛者乃肝鬱脾虛所致
依本方加山梔茯苓青皮清肝補脾兼升中氣更以歸脾湯加山梔川芎茯神香附陳皮

八一

四物湯 婦人交接出血者
依本方加胆草黄芩山梔柴胡

六味地黄丸 治陰虱屬肝腎二經每觔
加黄柏一兩炒 蘆薈五錢

補中益氣湯 治筋疝筋縮縱或為痒痛或出白津此筋疝也
依本方加炒山梔炒龍胆〇陰虛火燥者用六味丸〇莖中痒出白津用本方與清心蓮子飲間服

清肝滲濕湯 治肝經鬱滯邪火流行致陰腫痛或風熱作痒
川芎 當歸 白芍 生地 山梔
黄連 連翹 龍膽各一錢 柴胡 澤瀉
木通八分 滑石二錢 蘆薈五分 防風八分 甘草三分
淡竹葉燈心各二十件水煎服

凉榮瀉火湯 婦人陰中火鬱作痛亦如澁淋宜此
川芎 當歸 白芍 生地 黄芩
黄連 山梔 木通 柴胡 茵陳
膽草 知母 麥門冬各一錢 甘草五分 大黄

酒炒二錢 右水煎服 便利去大黃

白芷升麻湯 治婦人陰內膿水淋漓或

痓或痛

白芷 升麻 黃連 木通 當歸

川芎 白朮 茯苓 右水煎服

五味當歸散 治婦人陰中突出一物長

五六寸名陰挺

當歸 黃芩各二兩 牡蠣煅一兩半 赤芍五錢

蝟皮一兩炙 右為末每服二錢食前

溫酒調下滾湯点可也如不應須以補

中益氣湯倍加柴胡升麻兼服之◯又

方用當歸川芎山甲炒蒲黃炒各半兩

辰砂一錢麝香少許俱為末每服三錢

酒調下尤效

仝

便毒

◯王宇泰云大抵便癰者血疝也俗呼為

便毒言於不便處患之故也乃足厥陰

肝經絡及衝任督脈亦屬肝之旁絡也

是氣血流通之路路今壅而腫痛此則

熱毒所致◯竇漢卿云初起之時切不

可用寒凉之藥恐氣愈滯不得宣通反

成大患惟當開鬱散氣清利熱毒使精

血宜通則自然愈

九味柴胡湯 治肝經濕熱下注便毒腫

痛或小腹脇肋結核凡肝胆經部分一

切瘡瘍

柴胡 黃芩炒各一錢 山梔炒 龍胆炒焦

半夏 芍藥炒 當歸 甘草各五分

水煎服

雙解散 治便毒內蘊熱氣外挾寒邪精

血交滯結疼痛

大黃三錢 澤瀉 桃仁 牽午 白芍

各二錢 肉桂 甘草各一錢 乾姜六分

姜水煎服○一方無乾姜

紅花散瘀湯　治入房忍精強固不泄以致瘀精濁血凝結兩髈或小腹之傍結成腫痛小水澁滯者

歸尾　紅花　蘇木　姜蚕　連翹
貝母　皂角針　石決明　穿山甲
乳香各一錢　大黄三錢　牽牛子二錢

水酒各一碗煎八分空心服行五六次方吃稀粥補之

黄芪內托散　治魚口便毒橫痃等症已成不得內消者

川芎　當歸　黄芪各二錢　金銀花
白术　花粉　皂角各一錢　澤瀉
甘草各五分　水煎服

一方　治便毒已結成膿者

大黄　連翹各半兩　枳實　厚朴各三錢
甘草節一錢　桃仁廿一枚　姜水煎服

一方　治便毒

青皮　白芷　柴胡　赤芍　檳榔
朴硝　烏藥　木瓜　大黄　連翹

仝

瓜蔞　黄芩　生芐　三稜　莪术
犀角　皂角　甘草節

水煎候大飢服以瀉為度

三物湯　治便癰

牡蠣　大黄　山梔

以酒一大盞煎七分露一宿空心溫服

四神散　治便毒初起寒熱欲成癰

大黄　木鼈　姜蚕　貝母各二錢半

水酒各一鍾煎熱服

小柴胡湯　治便癰體薄大便易而小便澁者

消毒五聖湯　治便毒腫疼神效

依本方加川芎當歸知母黄栢澤瀉

五靈脂　白僵蚕　鬱金　貝母
大黄各三錢　酒水各半煎服

消毒飲　治便毒初發三四日可消

皂角針　金銀花　防風　當歸
大黄　瓜蔞實　甘草各等分

水酒各半煎食前溫服仍頻提掣頂中髮立効

止痛妙絶散　治便毒腫硬不消不潰疼痛無已此方一服立能止痛

人參　大黄各五錢　水酒各一鍾煎一鍾入乳香没藥各一錢空心服

牡蠣散　治血疝即便毒

當歸酒浸　甘草節　滑石煆　牡蠣煆各一錢半

大黄三錢　木鱉五枚　水煎露一宿五更頓服冬月火温服

又方

瓜蔞仁二錢　代赭石一錢　山梔　乳香

没藥　當歸各半錢　水煎服

蕪方散　治便毒

木鱉　歸尾　白芷　芍藥　川芎

射干　忍冬　大黄　没藥　蘇木

山甲焙　甘草炒各六　水酒各半煎服

東垣青皮湯　治便毒

青皮　防風　當歸　甘草梢

水煎服

復原通氣散　便毒初發用此方

南木香　延胡索　天花粉酒浸

藁香炒　白牽牛炒　白芷　當歸

甘草各一兩　青木香半兩　山甲酒浸炙焦二兩

為細末每服二錢食前温酒調服木香湯亦可

威靈仙散　治便毒

威靈仙　貝母　知母各一兩

右為末空心温酒服◯有淋痛小便數者宜先用加味龍胆瀉肝湯◯大小便祕淋腫作痛宜八正散◯增寒發熱荆防敗毒散然後用此方

加味瀉肝湯　治肝經湿熱不利陰囊腫痛或潰爛皮脱睾丸懸掛或便毒及下疳腫痛或潰爛並皆治之

龍胆酒拌炒　歸尾　車前炒　芍藥炒

澤瀉　生苄　黄連炒　知母酒拌炒

黄栢酒拌炒　防風各一錢　甘草五分

水煎服

追毒散　治便毒

歸尾　赤芍　銀花　花粉　白芷各一錢　姜蚕　芒硝各二錢　大黄三錢

木鼈十個　山甲三片
酒煎露一宿五更溫服厚蓋出汗利一
二次即愈◯或加五靈脂尤妙◯一方
有射干無芒硝

神異散　治魚口便毒
銀花　山甲　花粉　木鼈各一戔
大黃　皂角各三戔　連翹　黃芩各八分
木香五分　山梔七分　甘草三分
酒水煎空心溫服

江氏傳　先用便毒
蘇葉　陳皮　香附　麻黃　乾葛
升麻　赤芍　羌活　一貼水煎服

後用
川山甲土炒　白姜蚕炒　皂角　大黃
五靈脂炒為末酒調下通三次而安

山甲內消散　治便毒初起未成膿者
當歸稍　甘草節　大黃各三戔　姜蚕
黑丑各一戔　穿山甲三片炒　鼈甲三箇
水煎酒少許入服

瓜蔞散　治便癰等惡瘡

八五

瓜蔞　金銀花　牛蒡子炒各三戔　生姜
甘草各五戔　右酒煎空心服

會膿散　治惡毒便毒初起之妙方也
白芷　殭蚕炒　川山甲炒各二戔　乳香
沒藥各一戔　大黃四戔
右為末以當歸四錢用酒水各一鍾
一鍾去柤量人强弱全用或一半調服
之

楊梅瘡 結毒

○竇漢卿云此瘡皆臟腑之積毒脾肝腎之濕熱也或色慾大過腎經虛損感邪毒之氣或體虛氣弱偶遇生瘡之人穢氣入于腸胃感薰其毒或因疳瘡畜毒纏綿不已而成矣小兒患此者皆父母胎中之毒也發如赤根膿窠者出邪毒淺也若瘡凸赤作痛熱毒熾盛也赤瘡微作痛毒將殺也瘡色白不結痂陽氣虛也色赤不結痂陰血虛也○陳實功云氣化傳染者輕精化慾染者重

換肌消毒散 治時瘡不拘初起潰爛凡患下疳瘡宜此預防之一名萆薢湯

土茯苓五錢 當歸酒洗 薏苡 皂角刺 白芷各一錢 木瓜 木通 銀花 白蘚皮 甘草各七分 水煎服

○一方有苦參五加皮○甚者土茯苓用至四五兩更妙

搜風解毒湯 治楊梅風毒誤服輕粉以致癱瘓筋骨疼痛不能動履或壞肌傷骨者服此除根永無後患

方即前方加防風去當歸白芷甘草○氣虛加人參○血虛加當歸

○一名仙遺糧湯

加味遺糧湯 治楊梅瘡初起筋骨疼痛及已成數月延綿不已並楊梅風毒誤服輕粉癱瘓骨疼不能動履

即前方加川芎蒼朮威靈仙各一錢

換肌消毒散 治楊梅瘡不拘初患日久並効治大人之劑

土茯苓五錢 當歸 白芷 皂角刺炒 薏苡 芍藥 茯苓各一錢 白蘚皮 銀花 木瓜 木通各七分 連翹 防風 甘草各五分 黃芪炒二錢 川芎 生芐各八分 水煎服

茯苓湯 治楊梅瘡

土茯苓四兩 桔梗 防風各一兩 乳香 沒藥各五分 水五碗煎三碗溫服一日服盡忌茶水諸物

清凉敗毒散　治楊梅天泡瘡
山梔　連翹　黄芩　防風　荆芥
獨活　苦參　白芷　木通　木瓜
當歸　防巳　皂角　銀花　薏苡
白蘚皮　威靈仙　天花粉　甘草
各五錢　土茯苓二斤　水煎服
◯楊梅瘡初起先服防風通聖散數劑
後服此藥以收功百發百中
蠲痹消毒散　治時瘡肢拘攣
姜黄　獨活　土茯苓各五錢　白术
當歸各一錢半　赤芍一錢　白芷五分
水煎服
一方　治楊梅瘡汗藥
升麻　白芷　蒼术　當歸　赤芍
羌活　獨活　防風　荆芥　麻黄
連翹　木通　薄桂　桔梗　柴胡
山甲　銀花　甘草
水酒各一鍾煎八分乘熱服之以衣覆
身出汗為妙
消風敗毒散　楊梅天疱初起者

歸尾　川芎　赤芍　生芐　升麻
乾葛　黄芩各一錢　黄連　黄柏　連翹
防風各八分　羌活　蟬退　銀花　甘草各五分
水煎初服加大黄芒硝
巫峰湯　楊梅瘡疼者因服凉藥過多者
治之
厚朴　桔梗　白芷　木通　防風
連翹　肉桂　當歸　川芎　銀花
土茯苓　水煎服◯脚上多者加木
瓜　牛膝
一方　治楊梅瘡
防風　連翹　黄芩　人參　白术
銀花各一錢　皂莢　木瓜各二錢　白蘚皮二錢半
薏苡　當歸　川芎　白芍　熟芐
各八錢　升麻　甘草各三分　土茯苓四兩
水煎服◯顛頂加藁本
抑火湯　楊梅瘡壯盛人上焦有實熱者
連翹一錢五分　黄芩　梔子　鼠粘　防風
黄連　知母　朴硝　大黄　玄參
各一錢　薄荷七分　黄柏　甘草各五分

土茯苓二兩　水煎服○一方有防

風

解毒天漿散　治楊梅瘡不問新久遍身

潰爛及筋骨作疼者

花粉二戔　防巳　防風　連翹

白蘚皮　皂角　川芎　當歸

銀花　薏苡　風藤　木瓜　蟬脫

各一戔　甘草五分　土茯苓二兩

水煎臨服入酒○下部加牛膝

升麻解毒湯　治楊梅瘡筋骨疼痛久而

不愈及治遠年近日流注結毒皮肉破

爛咽喉損破者

升麻　皂角刺各四戔　土茯苓一斤

水煎服○項以上加白芷○咽痛加桔

梗○胸腹加白芍○肩背加羌活○下

部加牛膝

歸靈湯　治楊梅瘡不問新久但元氣虛

弱者宜服此藥

川芎　當歸　白芍　花粉　熟苄

米仁　木瓜　銀花　人參　白朮

防巳　蘚皮各一戔　甘草五分　威靈仙六分

土茯苓二兩　水煎服渣再煎

仙遺糧湯　治楊梅結毒初起筋骨疼痛

已破肌肉潰爛者

防風　荆芥　川芎　花粉　銀花

當歸　薏苡　白蒺藜　威靈仙各一戔

山梔　黃連　連翹　乾葛・白芷

黃芩　甘草各六分　土茯苓四兩

水煎服後飲酒一杯

草解湯　治結毒筋骨疼痛頭脹欲破及

已潰腐爛並効

草解二戔　防風　苦參　何首烏各一戔

威靈仙　當歸　白芷　石菖

蒼朮　胡麻　黃栢各分　羌活　川椒

各四分　紅花三分　甘草五分　龜板一戔五分

水煎臨服入酒

加減通聖散　治楊梅瘡

防風　白蘚皮　赤芍藥　連翹

黃芩各八分　牛蒡子一戔　山梔　歸尾各六分

荆芥　槐花各四分　姜蚕　甘草各二分

金銀花三分 水煎服○如初起便
秘加酒大黃一錢半○便難加皂子三分
○胃弱食少加白朮一錢陳皮半夏各七分
○頭上多加川芎八分薄荷一分○下
部多加牛膝黃柏各四分○遍身多加木
通桔梗地骨皮各六分○心火加黃連四分
○腎火加玄參四分○氣虛加人參黃
芪各六分○血虛加熟地○久虛便利加
硬飯五錢

二十四味風流飲 楊梅瘡毒發出者宜
此

防風 荊芥 連翹 白芷 歸尾
赤芍 川芎 黃芩 黃連 梔子
苦參 木通 骨皮 加皮 蘚皮
木瓜 銀花 皂刺 薏苡 蟬退
姜蚕 黃柏 蒺藜 甘草 土茯苓

右作五十劑每日服二劑煎○瘡痛加
獨活羌活○體虛加人參茯苓去梔子
○上部瘡多倍用川芎○下部瘡多倍
用木通

五寶散 治結毒筋骨疼痛腐爛口鼻諸
藥不效者

滴乳石四錢 琥珀 硃砂 珍珠各一錢
冰片一錢

右各研極細用藥二錢加飛羅麪八錢
再研和勻每用土茯苓一斤水八碗煎
至五碗作五次加藥和勻服之如鼻子
腐爛土茯苓內加辛夷三錢如病在上
者加木香二錢病在下者加牛膝一兩
與土茯苓同煎

七貼方 治楊梅綿花瘡

防風 忍冬 皂刺 蟬退去頭足
連翹 白蘚皮 五加皮 荊芥
穿山甲炒各一錢 木瓜去心忌鐵 生地黃
殭蚕炒各一錢半 皂子七個 薏仁三錢
土茯苓四兩 右用水四碗煎二碗
食遠分二次服之忌牛羊茶酒醋房事

秘方仙遺糧湯 治一切楊梅瘡不拘始
終虛實皆可取效

土茯苓 即名仙遺糧用鮮者二兩

洗淨以木石拍槌碎用水三碗煎二碗去相入後藥煎

當歸 生地 防風 木通 薏仁各八分 金銀花 黃連 連翹各一錢 白蘚皮 白术各七分 皂刺六分 甘草四分

加燈心二十根用遺糧湯二碗煎一碗食遠服

五加皮飲 治楊梅綿花瘡百發百中亦可煮酒以治結毒

當歸 木瓜 生地 熟地 羌活 薏仁各一錢 防風 荊芥 赤芍 苦參 大楓藤各七分 五加皮二錢 殭蠶 甘草各五分

右每服入土茯苓四兩豬肉四兩用水二大碗煎一碗食前温服渣再煎連肉食之

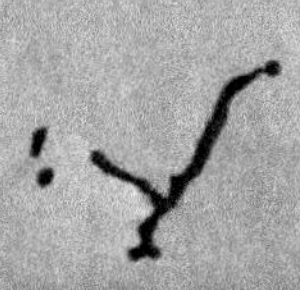

脫疽 田螺泡 跟疽

○竇漢卿云此症由于消渴之症發于指者曰脫疽其狀赤紫者死不赤黑者可治○陳實功云其疼如湯潑火燃

解毒濟生湯 治脫疽初起惡寒體倦發熱作渴或腫或紫或麻或痛四肢倦怠心志恍惚不寧者

川芎 當歸 黃栢 知母 柴胡 花粉 銀花 麥門 遠志 黃芩 犀角 茯神各一錢 紅花 甘草各五分

水煎臨服入童便○手指加升麻五分○足指加牛膝五分

人參敗毒散 治脫疽未成若色赤焮痛者托裏消毒更兼灸

依本方去桔梗加牛膝白芷大黃金銀花○痛止次以十宣散加天花粉金銀花牛膝

解毒瀉脾湯 治田螺泡多生手足忽如火燃隨生紫白黃泡此脾經風濕攻注

不久漸大痛不安
防風 鼠粘 山梔 石膏 黃芩
蒼朮 木通 甘草各一錢 燈心水煎

蠲毒流氣飲 治跟疽生脚跟之上因行動高下胻傷而發
白芷 防風 陳皮 連翹 人參
香附 川芎 當歸 玄參 枳殼
桔梗 柴胡 花粉 鼠粘 梔仁
甘草 水煎服○先服此方後服除濕木風湯

除濕木風湯 治跟疽
蒼朮 白朮 茯苓 木瓜 薄桂
澤瀉 柴胡 青皮 蟬蛻 當歸
白芍 生苄 烏藥 牛膝 黃柏
知母 防風 薏苡 甘艸
水煎服○痛加乳香○如虛加人參黃芪○冬加附子

附骨疽 鶴膝風 過膝風 緩疽 石疽

○王宇泰云附骨疽在股外屬足太陽陽明經在股內屬足厥陰足少陰經又風濕折熱結而附骨成疽○申斗垣云附骨疽者以其毒氣深附於骨間疼痛不已痛無休或寒熱而無汗經久不治陰極生陽寒化為熱方能腐潰是也亦有三種之分一曰緩疽二曰石疽三曰附骨疽皆因氣體衰弱感受賊風而有經久不治延緩而成也

鶴膝風 陳實功云乃足三陰虧損之症○王宇泰云膝上腫痛此非一端要須明辨若兩膝內外皆腫痛如虎咬之狀寒熱間作股漸細小膝愈大名鶴膝風

五積散 治風寒濕毒客于經絡致筋攣骨痛或腰脚酸疼或遍身拘急或發熱惡寒頭痛者
蒼朮二錢 陳皮 桔梗 川芎 當歸
白芍各一錢 麻黃 枳殼 桂心 乾姜

厚朴　白芷各六分　半夏　茯苓　甘草
各四分　姜水煎○頭痛惡寒加連鬚
葱頭

內托黃芪湯　治濕熱腿內近膝股患癰
或附骨癰初起腫痛此太陰厥陰之分
也脉細而弦按之洪緩有力
黃芪鹽水拌炒　當歸　柴胡　木瓜
連翹各一錢　羌活　肉桂　生芐
黃栢各五分　水酒各一鍾煎

茯苓佐經湯　治足少陽經為四氣所乘
以致腰腿發熱疼痛頭目昏眩嘔吐不
食胸膈不利心煩熱悶等症
藿香　澤瀉　葛根　柴胡　厚朴
木瓜各五分　茯苓　陳皮　半夏　白术
蒼术各一錢　甘草五分　姜水煎

附子六物湯　治四氣流注于足太陰骨
節煩痛四肢拘急自汗短氣小便不利
手足或時浮腫
附子　甘草各一錢　防巳　白术　茯苓
各八分　桂枝五分　姜水煎

麻黃左經湯　治風寒暑濕流注足太陽
經腰足攣痺關節重痛增寒發熱無汗
惡寒或自汗惡風頭痛等症
麻黃　葛根　羌活　防風　蒼术
茯苓　防巳各一錢　桂心　細辛　甘草
各五分　姜棗水煎

當歸拈痛湯　治濕熱下注腿脚生瘡赤
腫作痛或腰脚酸痛或四肢遍身重痛
或下部頑麻作痒或成血風
人參　猪苓　澤瀉　知母　黃芩
葛根　甘草各五分　羌活　當歸　防風
茵陳　蒼术各一錢　苦參　升麻　白术
各七分　黃栢三分　水煎○此症行履
不得加萆薢川練子獨活木瓜

小續命湯　治寒濕之氣中于三陽致身
不熱所患煩疼或脚轉筋或腫或不腫
或膝腿頑痺或時緩縱不隨或遍身百
節攣痛或小腸疝氣攻中
川芎　白术　防風　人參　防巳
附子　麻黃有汗去之　桂心　白芍

黃芩各一錢 甘草五分 水煎入姜汁服
○暑中三陰經所患者必熱去附子減
桂半

大防風湯 治三陰之氣不足風邪乘之兩膝作痛久則膝愈大而腿愈細因名曰鶴膝風乃敗症也非此方不能治又治附骨疽皮色不變大腿通腫疼痛無奈

人參二錢 防風 白术 白芍炒 附子
當歸 川芎 杜仲 黃芪 羌活
牛膝酒炒 熟芐 甘草各一錢 姜水煎
○準繩有肉桂無當歸○經驗全書有獨活蒼术無當歸

檳蘇散 治風湿流注脚脛酸痛或麻痺不仁嘔吐不食

檳榔 紫蘇 木瓜 香附 陳皮
大腹皮各一錢 木香三分 羌活五分
姜葱白水煎

獨活寄生湯 治肝腎虛弱風湿內攻脛脛緩縱或膝痺攣重

獨活二錢 桑寄生 茯苓 川芎
當歸 防風 白芍 細辛 桂心
杜仲 秦艽 牛膝 熟芐各一錢
甘草五分 姜水煎服

大腹子散 治風毒脚上攻寒熱交作服節煩疼心神壅悶

大腹子 桑白皮 紫蘇 木瓜
羌活 荆芥 赤芍 木通 獨活
青皮各五分 枳殼一錢 甘草三分
姜葱白水煎

加味敗毒散 治足三陽經湿熱毒氣流注脚踝焮赤腫痛寒熱如瘧自汗惡風或無汗惡寒

依本方加木瓜蒼术

十全大補湯 治附骨疽極陰生陽寒化為熱肉腐而成膿膿成則宜熔

依本方加牛膝木瓜

漏蘆湯 治附骨疽

漏蘆 升麻 連翹 麻黃各一兩 防已
木香 白蘞 沈香各一兩 大黃一兩半炒

竹葉七片水一盞半煎七分入芒硝一錢攪勻空心温服取利三二行

內托羗柴湯　治足太陰厥陰經瘡生腿內近髀股或癰或附骨疽初起腫痛勢大

黃芪二戔　土瓜根酒洗　柴胡各一戔
連翹一戔半　歸尾七分　羗活五分　肉桂三分
生芐　黃栢各一分半

水二盞酒一盞煎熱服

黃連消毒飲　治附骨疽

黃連　羗活各一戔　黃芩　黃栢　藁本
防巳　桔梗　歸尾各五分　生芐　知母
獨活　防風　連翹各四分　黃芪　人參
陳皮　甘草各三分　蒼朮　澤瀉各二分

水煎服

八物湯　附骨疽內傷欝怒腫痛如錐赤暈散漫先用活命飲次用此

依本方加柴胡牡丹山梔

補中益氣湯　附骨疽內傷勞役兩腿腫痛寒熱食少此湿痰下注也

依本方加半夏茯苓芍藥

腎氣丸　附骨疽內傷房室兩腎腫硬二便不通者

依本方加車前子牛膝煎服兼用十全大補湯○有寒熱者逍遙散

青草蒼栢湯　治環跳穴痛不巳

蒼朮　黃栢各三戔　青皮一戔半　甘草五分

水煎入姜汁少許調服○虛者加牛膝一錢○夏加黃芩八分○冬加桂枝五分○痛甚無汗加麻黃二分

十全大補湯　附骨疽屬虛者

依本方加羗活防巳牛膝

加味地黃丸　治小兒鶴膝風

依本方加鹿茸酥炙牛膝各三戔　為末麪糊丸如黍米

仙方活命飲　治石疽生於腰胯之間肉色不變堅硬如石經月不潰者

依本方加羗活獨活柴胡黃芪

沈香湯　治石疽腫毒結硬口乾煩熱四肢拘急不得臥

沈香　防風　木香各七錢半　麥門冬
當歸焙　枳殼炒　獨活　羚羊角
升麻　玄參　地骨皮　赤芍
甘草各一两　大黃二两炒　水煎服

檳榔散　治鶴膝風
檳榔　蘇葉各二錢　陳皮　木瓜
甘草各一錢　姜葱水煎服

加味敗毒散　治足二陽經熱毒流於腳
根焮赤腫痛寒熱如瘧自汗短氣大小
便不利或無汗惡寒表裏邪實者宜之
羌活　獨活　前胡　柴胡　桔梗
人參　茯苓　枳殼　川芎　大黃
蒼朮　甘草各一錢
水二鍾姜三片煎服

多骨疽

○王宇泰云足脛生疽既潰甚久而不愈腐爛出骨蓋因毒氣壅盛結成此骨非正骨也

固本養榮湯　治骨疽已成骨不吐出或既出不能收斂由氣血之虛脾胃弱也
方即四物湯加人參白朮牡丹山茱萸黃芪各一錢　肉桂五味子甘草各五分
姜棗水煎

人參養榮湯　治多骨疽
依本方加牛膝木瓜防已

十全大補湯　治多骨疽
依本方加牛膝防已

痔漏　臓毒

○陳實功云痔者乃素積濕熱過食炙煿或因久坐而血脈不行又因七情或酒色過度腸胃受傷以致濁氣瘀血流注肛門俱能發痔○又云臓毒者醇酒厚味勤勞辛苦蘊熱流注肛門結成腫塊其病有內外之別虛實之殊

益氣清臓湯　治痔漏

人參　當歸　條芩　黃連　生芐
赤芍　槐角　川芎　升麻　枳殼
秦艽　白朮　茯苓　甘草
姜燈心水煎

秦艽蒼朮湯　治痔漏

秦艽一錢二分　蒼朮　檳榔　黃柏各五分
澤瀉　防風各三分　桃仁　皂莢燒存性
大黃炒　當歸各一錢　水煎服第二服
加木香三分

秦艽防風湯　痔漏每日大便時發疼痛如不疼痛非痔漏也

九六

秦艽　歸身　防風　白朮各一錢半
黃柏五分　陳皮　大黃煨各三分　紅花二錢
桃仁十三　澤瀉　甘草各六分
水煎服○外科集驗方有柴胡升麻

秦艽當歸湯　痔漏大便結燥疼痛

秦艽　枳殼　當歸各一錢　桃仁十三
紅花三分　大黃煨四錢　澤瀉　皂角仁
白朮各五分　水煎服

槐角子湯　外痔併漏根帶落下然後服此藥除腹內之毒

槐角　枳殼　黃連各五錢　薄荷二錢
水煎服○一方有黃芪五錢

木香散　用藥後小便不通服此藥外痔不用

山梔　木通　車前各三錢　淡竹葉
生芐各一兩　黃芩五錢　燈心水煎

升元大補湯　治脫肛痔

人參　黃芪各三錢　升麻九錢　歸須
白朮各二錢　白芍酒炒　知母鹽　黃柏各一錢
生芐姜一錢　肉桂五分　山藥　防風各一錢

附子七分 紅花六分 甘草五分炙
姜水煎○虛甚者倍人參黃芪當歸升
麻

槐角地榆湯 治痔漏脉花下血者
地榆 槐角 白芍炒 梔子炒 黃芩
荆芥 生芐 枳殼炒 水煎服

槐角枳殼湯 治痔漏下血
槐角炒 枳殼炒 赤茯 黃連 黃芩
白芍 當歸 生芐 烏梅 甘草
水煎服

蓁艽羌活湯 治痔漏成塊下垂其癢惟
雞心垂珠栗子雙頭子母夫妻櫻桃等
痔癢甚者並用之
羌活一錢二分 蓁艽 黃芪各一錢 藁本
細辛 紅花各三分 麻黃 柴胡
升麻 甘草各五分 防風七分 水煎服

加味四物湯 治內熱痔漏下血者
依本方加酒炒黃芩酒炒黃栢炒槐花

紅花挑仁湯 治痔漏經年不愈者
黃栢一錢半 生芐 歸尾 防風 猪苓

紅花各五分 澤瀉八分 蒼朮六分 麻黃二分
桃仁 水煎服○一方無桃仁有木
香二分○又方有防巳

防風蓁艽湯 治痔瘡不論新久肛門墜
重便血作疼者
防風 蓁艽 當歸 川芎 生芐
白芍 赤茯 連翹各一錢 梹榔 梔子
地榆 枳殼 槐角 白芷 蒼朮
甘草各六分 水煎○便祕加大黃

提肛散 治氣虛肛門下墜及脫肛便血
脾胃虛弱等症
方即異功散去茯苓加川芎當歸黃芪
升麻黃芩白芷黃連

加味四君子湯 治痔瘡痔漏下血不止
面色痿黃心忪耳鳴脚弱氣乏
依本方加白扁豆黃芪○一方有五味
子無甘艸

當歸郁李湯 治痔大便結燥大腸下墜
出血苦痛不能忍者
當歸 郁李仁 澤瀉 大黃煨

枳實 蒼朮 秦艽 皂角各一錢
麻子仁一錢五分 水煎服

三黃二地湯 治腸風諸痔便血不止及面色痿黃四肢無力

生芐 熟芐各一錢半 蒼朮 厚朴 陳皮 黃連 黃栢 歸身 黃芩 白朮 人參各一錢 防風 澤瀉 地榆 甘艸各六分 烏梅二 水煎服

粟殼散 治諸痔作疼及腸風下血諸藥不止

粟殼 當歸 陳皮 秦艽 黃芪 生芐 熟芐各一錢 黃栢 黃芩 人參 蒼朮 厚朴 升麻各六分 地骨皮一錢二分 甘草五分 荷葉蒂七個 水煎服或末酒調服

收腸方 凡用枯藥脫下乳頭隨即與此以收其腸此方補氣又收膿去血生肉令瘡壯 此藥外痔不用

人參 川芎 白芷 防風 厚朴 桔梗 桂枝 黃芪 當歸 甘草

水酒各半鍾煎○夏減桂枝加黃栢黃芩○一方有木香

地榆散 治痔腫痛

地榆 黃芪 枳殼 檳榔 川芎 黃芩 槐花 赤芍 羌活各一錢 白蘞 蜂房炒焦 甘草炙各五分 水煎服

黃連除濕湯 治臟毒初起濕熱流注肛門結腫疼痛小水不利大便秘結身熱口乾脈數有力或裏急後重

黃連 黃芩 川芎 當歸 防風 蒼朮 厚朴 枳殼 連翹各一錢 甘草五分 水煎服○秘甚加大黃芒硝

涼血地黃湯 治臟毒已成未成或腫不腫肛門疼痛大便墜重或泄或秘時常便血頭暈眼花腰無力者

方即八物湯以熟芐代生芐加天花粉黃連地榆山梔

內托黃芪散 治臟毒已成紅色光亮已欲作膿不必內消宜服此潰膿

川芎 當歸 陳皮 白朮 黃芪
白芍 山甲 角針各一錢 榧榔五分
水煎服

清臟内托散 治臟毒
人參 黃芪 當歸 川芎 陳皮
黃連 生芐 赤芍 白朮 黃芩
獨活 白芷 防風 升麻 烏藥
槐花 牡丹 甘草 水二鍾 廣膠
五錢煎服

四物湯 臟毒結腫刺痛小便淋瀝大便
虛秘脈數虛細寒熱往來
依本方加黃柏知母天花粉甘草

當歸連翹湯 痔漏燥熱屬實者用之
當歸 連翹 防風 黃芩 白芷
芍藥 生芐 山梔 白朮 人參
阿膠 地榆 荊芥各等分 甘草減半
右烏梅一個大棗水煎

槐花散 治腸風臟毒下血
槐花炒 熟芐 荊芥穗 當歸身酒拌
青皮 白朮炒 升麻各一錢 川芎四分

九九

右為末每服三錢空心米飲調下水煎
亦可

黃連解毒湯 治好飲法酒縱食膏粱積
熱流入大腸致肛門結成腫痛壳刺如
錐堅硬如石方見疔腫

臀癰 坐馬癰 穿襠發

○薛巳云臀癰屬膀胱經濕熱○王宇泰云腫高根淺為癰腫平根深為疽俱屬足太陽經濕熱所致○申斗垣云若瘡少面髈骨環跳穴者兼足少陽經

活血散瘀湯 治臀癰初起紅赤腫痛墜重如石及大便秘澁

川芎 當歸 防風 赤芍 蘇木
連翹 紅花 黄芩 枳殼 皂角
花粉各一錢 大黄二錢 水煎服
○便通者去大黄加乳香○一方無花粉皂角紅花黄芩枳殼

黄芪內托散 治臀癰已成服前藥勢定者欲其潰膿宜服之

黄芪二錢 當歸 川芎 金銀花
皂角針 山甲 甘草各一錢
水煎入酒服

透膿散 治臀癰內膿已成不穿破者宜服之方見腫瘍

六君子湯 臀癰脾虛不能消散或不潰不斂者

依本方加川芎當歸黄芪

內托羌活湯 治臀疽癰腫痛兩尺脈緊按之無力

羌活 官桂 大黄 黄芪 藁本
連翹 歸稍 陳皮 蒼术 白芷
甘草炙 水酒各一鍾煎熱服○集驗方有酒黄栢防風無藁本蒼术

宣毒湯 治坐馬癰

白芷 赤芍 甘草各五分 連翹
枳殼各一錢 大黄酒蒸三錢 當歸二錢
水酒各一鍾煎

又方 治坐馬癰

紫蘇 人參 桔梗 枳殼 柴胡
川芎 羌活 白芷 防風 白术
芍藥 銀花 甘草 姜棗水煎服

內托追毒散 治坐馬癰

人參 黄芪 厚朴 桔梗 枳殼
黄連 烏藥 當歸 芍藥 白芷

川芎　防風　銀花　甘草
水煎服
蠲毒飲　治穿襠發背之下極發疽此名
穿襠發由勞傷憂思積鬱所致
貝母　赤芍　當歸　白芷　青皮
木通　連翹　桃仁　龍胆　銀花
花粉　山甲　甘草　水煎服○如
元氣欲泄加酒蒸大黄三四錢煎服飲
酒助藥力
内托復煎湯　治臀癰
地骨皮　黄芪　防風各二錢　芍藥
黄芩　白术　茯苓　人參　當歸
防已　甘草各一两　肉桂五两
先將蒼术一斤用水五升煎至三升去
蒼术入前藥煎
内托黄芪湯　治濕熱腿内近胯股患癰
或附骨癰初起腫痛此太陰厥陰之分
也脉細而弦按之洪緩有力
黄芪鹽水拌炒　當歸　柴胡　木瓜
連翹各一錢　羌活　肉桂　生芊

亘
黄栢各五分
水酒各一鍾煎
同銘　治尻臀患癰堅硬腫痛兩
尺脉緊數按之無力
羌活　黄栢酒　防風　歸尾　藁本
肉桂各一錢　黄芪一錢五分　連翹　蒼术　陳皮
甘草炙各六　水酒各一鍾煎○正宗
有紅花五分

囊癰

○竇漢卿云陰囊毒因肝經濕熱不利流毒于膀胱腎經感冒寒暑血氣凝聚寒濕不散而成○王宇泰云大抵此證屬陰道虧濕熱不利所致

黑龍湯　治陰囊腫痛溺澁寒熱

龍胆炒黑　柴胡　木通　當歸　銀花
皂刺　防風　赤芍　黄連吳茱水炒
甘草節　水煎服

十全大補湯　囊癰腫痛日久内膿已成脹痛者可即針之

依本方加山茱萸牡丹澤瀉

清肝滲濕湯　治囊癰肝經濕熱結腫小水不利發熱澀痛者

方即四物湯以熟苄代生苄加天花粉黄芩山梔龍胆柴胡各一錢　澤瀉木通甘草各五分　燈心水煎

滋陰内托散　治囊癰已成腫痛發熱服之有膿即可穿潰

方即四物湯加黄芪一錢半　澤瀉山甲皂角針各五分

瀉肝清熱湯　治陰囊毒

方即龍胆瀉肝湯加芍藥黄連黄栢知母防風黄芩竹葉各一錢

加味小柴胡湯　陰囊毒潰爛飲食少思日晡發熱

依本方加川芎白术黄芪鹽水浸炒　當歸酒　黄栢酒　知母酒　白芍藥○痛甚加黄連○小便不利加木通車前○口渴加花粉麥門五味子

八正散　腎囊初起紅腫小便澁滯者用之

清肝益榮湯　囊癰熱毒未解服之

當歸　川芎　白芍　梔子炒　柴胡
白术　茯苓　木瓜　膽草　熟地

右水煎服膿去而腫痛不減者熱毒未退也

加味瀉肝湯　治肝經濕熱不利陰囊腫痛或潰爛皮脫睾丸懸掛或便毒及下

痻腫痛或潰爛皆治之
龍膽艸酒炒 當歸稍 連前子炒
生地黄 澤瀉 芍藥炒 黄連炒
防風 知母酒炒 黄栢酒炒各一錢
甘草稍五分 右水煎食遠服
六味丸 囊癰口乾而小便數者腎經虛
熱也
四物湯 囊癰內熱晡熱者肝經血虛也
依本方加人參白术
補中益氣湯 囊癰體倦食少者脾氣虛
熱也
十全大補湯 囊癰膿水清稀者氣血俱
虛也

懸癰

○陳實功云懸癰者乃三陰虧損濕熱結
聚而成此穴在於谷道之前陰器之後
又謂海底穴也○薛巳云懸癰原係肝
腎二經陰虛
滋陰八物湯 治懸癰初起狀如蓮子紅
赤漸腫悠々作痛者
川芎 當歸 赤芍 生苄 牡丹
花粉 甘草各一錢 大黄蜜炒 澤瀉各五分
燈心水煎
還元保眞湯 治懸癰已潰瘡口開張膿
水淋漓不能收斂者
當歸 川芎 白芍 熟苄 白术
人參 茯苓 黄芪各一錢 牡丹皮
枸杞子各八分 熟附 甘草炙各五分
肉桂 澤瀉各三分 煨姜棗水煎
滋陰九寶飲 治懸癰厚味膏粱蘊熱結
腫小水澁滯大便祕結內熱口乾煩渴
飲冷及六脉沈實有力者

川芎　當歸　白芍　生芐　黃連
知母　黃栢　大黃蜜炒　花粉各二戔
水煎服

加味托裡散　治懸癰不消不潰
依本方去白朮陳皮熟芐茯苓加川芎
麥門銀花柴胡酒炒知母同黃栢各一戔

清心蓮子飲　治懸癰勢退惟小便赤澁
○如發熱加柴胡薄荷

四物湯　懸癰屬血虛者
依本方加人參白朮

四君子湯　懸癰屬氣虛者
依本方加川芎當歸

加味十全大補湯　治懸癰潰而不斂或
發熱飲食少思
依本方加五味子麥門冬○小便赤加
酒炒黃栢知母○小便澁加車前子山
梔子俱炒用

萬

金瘡　跌撲　杖瘡

○劉宗厚云打撲金刃損傷是不因氣動
而病生於外外受有形之物所傷乃血
肉筋骨受病非如六淫七情為病有在
氣在血之分也所以損傷一證專從血
論但須分其有瘀血停積而亡血過多
之證

脉沈小虛細者順○脉浮大實數者逆
○打撲損傷脉浮大者吉○脉沈細者
凶

獨參湯　金瘡失血過多昏憒者以補助
為要
人參　炮姜水煎徐〻服之

乳香黃芪湯　治打撲傷損筋骨疼痛者
方見瘡瘍

調榮湯　刃傷通用

疎風敗毒散　治打撲諸損動筋折骨跌
磕隨傷者
方即四物湯合人參敗毒散去前胡人

參加白芷紫蘇陳皮香附子生芐生姜
水煎入酒和服
加味交加散　治打撲傷損折骨發熱惡
寒體弱之人用此服之若體實之人宜
踈風敗毒散
方即四物湯熟芐代生芐加白茯陳皮
厚朴蒼木半夏羌活獨活桔梗枳殼前
胡柴胡干姜肉桂甘草生姜○有熱去
肉桂干姜
加味四物湯　治一切折傷經年疼痛不
止者
依本方加羌活香附子獨活柴胡黃芩
黃連黃芪肉桂
羌活乳香湯　治跌撲傷損動筋折骨發
熱體痛挾外邪者
羌活　獨活　川芎　當歸　赤芍
防風　荆芥　牡丹　續斷　紅花
桃仁　陳皮　生芐　水煎服
○有熱柴胡黃芩
清上瘀血湯　治上膈被傷者

廿五

羌活　獨活　連翹　桔梗　枳殼
赤芍　當歸　梔子　黃芩　川芎
桃仁　紅花　蘇木　大黃　甘艸
生芐　水煎和老酒童便服
消下破血湯　治下膈被傷者
柴胡　川芎　大黃　赤芍　當歸
黃芩　桃仁　枳實　梔子　牛膝
木通　澤蘭　紅花　蘇木
五靈脂　生芐煎加老酒童便和服
破血藥　治打撲墮馬從高跌下皮肉不
破者山瘀血停積內攻不能言語而或
譫妄此宜攻利為先若皮破血流者宜
作金瘡亡血過多治之
柴胡　黃芩　枳實　當歸　赤芍
川芎　生芐　大黃　朴硝　桃仁
紅花　蘇木　五靈脂　水煎入酒
童便服○皮破血流者不用酒
清心藥　治打撲傷損折骨出臼刀斧斫
磕等傷及肚皮傷破腸出者
當歸　川芎　赤芍　生芐　黃芩

黃連　連翹　梔子　桃仁　牡丹
甘草　燈心薄荷煎入童便服

止痛藥　治打撲傷損打骨出臼金瘡破
傷
當歸　牛膝　川芎　生芐　白芷
羌活　獨活　赤芍　續斷　杜仲
各一兩　肉桂　茴香　乳香　沒藥
各五戔　木香　沈香　丁香皮
血竭各二戔半　右末老酒調服

何首烏散　治打折筋骨初然便宜服此
藥順氣踈風活血定痛
當歸　赤芍　白芷　烏藥　枳殼
防風　川芎　陳皮　紫蘇　羌活
獨活　肉桂　香附　何首烏　甘草
右薄芐生芐煎入酒服○疼痛甚加乳
香沒藥

調經散　治跌撲損傷踈利後用此藥調
理
川芎　當歸　芍藥　黃芪各一戔半
青皮　烏藥　陳皮　熟芐　乳香

真
茴香各一戔　水煎服

牡丹皮散　治跌撲閃剉傷損滯血疼痛
牡丹　骨碎補　當歸　續斷
赤芍　紅花　酒乳香　沒藥　桃仁
川芎　生芐　水煎服

當歸補血湯　治金刄所傷及跌磕打撲
皮肉破損亡血過多此宜止痛兼補為
先若皮肉不破損者宜作瘀血停積治
之
方即四物湯加防風連翹羌活獨活乳
香沒藥白芷續斷杜仲

復原通氣散　治打撲傷損作痛及氣滯
作痛　方見乳癰

加味芎藭湯　治打撲傷損敗血流入胃
脘嘔吐黑血如豆汁
川芎　當歸　白芍　百合　荆芥
水酒各半鍾煎

橘朮四物湯　治跌撲磕傷滯血體痛飲
食少進
依本方加陳皮白朮紅花桃仁○骨節

疼加羌活獨活○痛不止加乳香沒藥

乳香散　治打傷損手足疼痛不可忍者

乳香　沒藥各三錢　白芷二錢　白朮炒

當歸炒　甘草各五錢　肉桂五錢

為末調酒下

退血止痛散　治杖後腫痛瘀血不散血氣攻心或增寒壯熱

歸尾　赤芍　生芐　白芷　防風

荊芥　羌活　連翹　黃芩　黃連

黃栢　梔子　薄苛　枳殼　桔梗

知母　石膏　車前　甘草

水煎溫服

通導散　治跌撲傷損極重大小便不通乃瘀血不散肚腹膨脹上攻心腹悶乱至死者

大黃　芒硝　枳殼各二錢　厚朴

當歸　陳皮　木通　紅花　蘇木各一錢　甘草五分　水煎熱服以利為度惟孕婦小兒勿用

當歸鬚散　治打撲以致氣凝血結胸腹脇痛或寒熱

歸尾一錢半　紅花八分　赤芍　烏藥

香附　蘇木各一錢　桃仁廿七　官桂六分

甘草五分　酒水各半鍾煎○如挫閃氣血不順腰脇痛者加青皮木香○脇痛加柴胡川芎

乳香定痛散　治打撲墜墮傷損一切疼痛

乳香　當歸　白朮各二錢　白芷

沒藥　羌活　人參　甘草各一錢

為末每二錢溫酒並童便調服○血虛者去羌活人參加川芎芍藥生芐牡丹

大成湯　治跌撲傷損或從高墜下以致瘀血流入臟腑昏沈不醒大小便秘及木杖後瘀血內攻肚腹膨脹結胸不食惡心乾嘔大便燥結者

陳皮　當歸　蘇木　木通　紅花

厚朴　甘草各一錢　枳殼　朴硝各二錢

大黃三錢　水煎臨服入蜜

調中二陳湯　前症已服行藥之後當進

此藥二三服
依本方加枳殼大腹皮紅花川芎當二
白芍各八分防風梹榔黄芪桔梗青皮
烏藥蘇木枳實黄芩紫蘇各六分木香三分
姜棗水煎

復元活血湯　治從高墜下惡血留於脇
下實痛不可忍者及便毒初起腫痛
當歸　柴胡　穿山甲　瓜蔞根
甘草　紅花　大黄酒　桃仁泥
右水酒煎服以利為度

生血補氣湯　治杖後潰爛久不愈
方即異功散加當歸白芍熟苄香附貝
母桔梗

當歸導滯散　治跌撲瘀血在內胸腹脹
滿或大便不通或咳喘吐血
大黄　當歸等分　右為末每服三
錢温酒下○陽氣虚者須加肉桂

湯火燒瘡

○陳實功云此患原無內症皆從外來湯
火熱極逼毒內攻又有外傷寒凉極毒
入裏外皮損爛者

○薛巳云湯火之證若發熱作渴小便赤
澁者內熱也用四物湯加山梔子連翹
甘草○若肉未死而作痛者熱毒也用
四君子湯加川芎當歸山梔連翹○若
肉巳死而不潰者氣血虚也用四君子
湯加當歸黄芪

四順清凉飲　治湯潑火燒熱極逼毒入
裏或外被凉水火毒內攻致生煩燥內
熱口乾大便秘實者
連翹　赤芍　羌活　防風　當歸
山梔　甘草各一錢　大黄二錢炒
燈心水煎服

破傷風濕

破傷風　襲居中云破傷風症乃因事擊破皮肉往々視為尋常不和風邪乘虛而客襲之漸而變為惡候

破傷濕　王宇泰云有破傷處因澡浴濕氣從瘡口中入其人昏迷沈重狀類中濕◯又云先辨瘡口平無汁者中風也邊自出黃水者中水也

白朮防風湯　治服表藥過多自汗者

白朮　黃芪各一兩　防風二兩

水煎服臟腑和而自汗者可服

大芎黃湯　治破傷風在裏者舌强口噤項背反張筋惕搐搦

姜活　黃芩　大黃各一兩　川芎五錢

水煎服　去大黃姜活加甘草二錢炙名芎黃湯◯臟腑秘小便赤而自汗者用之

白朮湯　治破傷風汗不止筋攣搐搦

白朮　葛根　升麻　黃芩　芍藥

各二兩　甘草二錢半　水煎服

養血四物湯　治破傷風日久氣血漸虛邪氣入胃

方即四物湯加藁本防風白芷各一兩細辛五錢　水煎

廣利方　治破傷風發熱

南星　蒼朮　赤芍　陳皮　黃蘗

黃連　黃芩　白芷　甘草各五分

滑石三錢半　括蔞子五錢　姜水煎

羌活防風湯　治破傷風邪初在表脉浮緊

羌活　防風　川芎　藁本　當歸

白芍　甘草各四兩　地榆　細辛各二兩

水煎服◯熱盛加黃芩黃連各二錢◯大便秘加大黃二錢◯自汗加防風白朮各五錢

羌活湯　治破傷風在半表半裏者

羌活　菊花　麻黃　川芎　石膏

防風　前胡　黃芩　細辛　茯苓

蔓荊　枳殼　甘艸各一兩　薄荷

白芷各五戔　水煎服稍緩則邪入
於裏不可用矣
四物湯　治破傷風血虚者
依本方加入參白朮
補中益氣湯　治破傷風氣虚者
依本方去升麻柴胡陳皮加肉桂五味
子麥門黄栢黑炒大劑服之
內托黄芪丸　治鍼灸傷經絡流膿不止
黄芪六両　當歸三両　肉桂　木香
沈香　乳香各一両　菉豆粉四両
為末生姜汁糊為丸白湯送下
玉真散　治破傷風牙關緊急角弓反張
甚則咬牙縮舌
南星　防風　白芷　天麻　羌活
白附子　右各等分為末每服二錢
熱酒調服或用便服之
風石湯　治破傷風發熱者
凡姜仁九戔　滑石一戔半　南星
蒼朮　赤芍　陳皮各一戔　黄連
黄栢　黄芩　白芷各五分　甘草二分

草
生姜水煎服
防風湯　治破傷風表證未傳入裏急服
之
防風　羌活　獨活　川芎等分
右水煎服
養血當歸地黄湯　治破傷風氣血俱虚
發熱頭痛服此以養氣血袪風邪不拘
新舊並可治之
當歸酒拌　熟地各二錢　芍藥　川芎
藁本　防風　白芷　細辛各一錢
右水煎食遠服甚者加酒助之

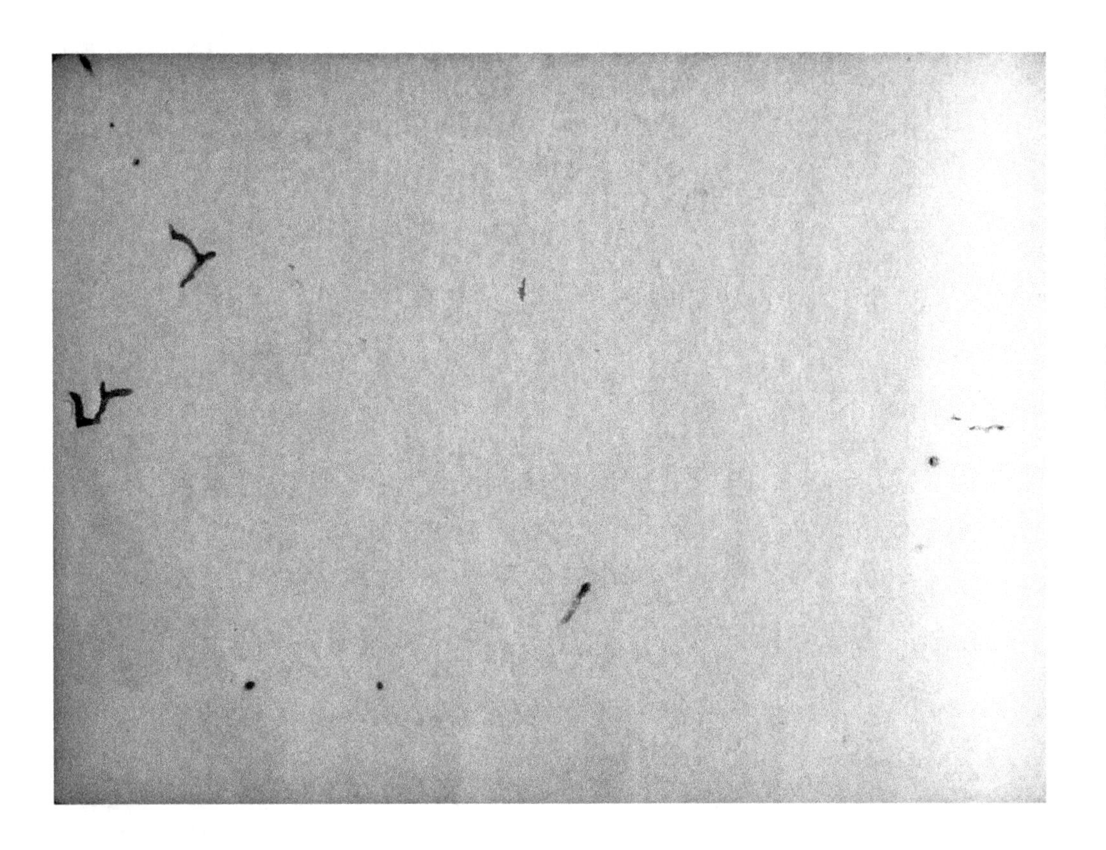

寶曆十一辛巳歲季穐壽梓
江戸日本橋通壹町目㘽
御書物師　出雲寺和泉掾藏版

海外漢文古醫籍精選叢書・第三輯

良醫家傳外科治癰疽門

〔越〕佚名氏　撰

内容提要

《良醫家傳外科治癰疽門》是越南家傳的一部外科專著，撰者佚名，成書年代不詳。本書融會貫通前代外科陰陽辨證與部位辨證之診療思想，又加入三十餘條家傳經驗，所述外科治法精要實用，是可資外科臨床參考借鑒的實用之作。

一 作者與成書

《良醫家傳外科治癰疽門》，鈔本，越南國家圖書館藏。首葉首行題寫上述書名，但無撰者信息。書中提及中國《外科正宗》一書，該書由明·陳實功編著，成書於萬曆四十五年（一六一七），説明《良醫家傳外科治癰疽門》當撰成於一六一七年之後。

二 主要内容

《良醫家傳外科治癰疽門》内容可分爲總論、三部證治、二十四症、經驗總結四個方面。

書首總論，首先提出癰疽爲病與内傷、外感不同，應隨症用藥；其次重點强調癰疽分爲陰證、陽證，并列出各自的治法；再次提出癰疽當從三部分治；最後指出按照上述治則治療癰疽，便可「百發百中，累世并效」。

三部證治，指按照外科疾病發生的上、中、下部位進行辨證施治。自頭至乳爲上部，自乳至臍爲中部，自臍至足爲下部。這部分内容首先列述了三部主治方藥以及隨證加減；繼而指出「治癰疽發背疔瘡等症已爲圖形分爲三部右左，□活在《外科正宗》」；最後分條列述上部頭面部發於左耳、右耳、喉中、左乳、右乳、背部、左手、右手以及中部，下部左足、右足的治療方藥。

二十四症，主要記述了枕發、鬢疽發、蜂巢、天疽、乳疽、兩脅發、井疽、腰脾肚發、脾蓮蓬髮、左腰發、脊中蜂巢、右塔肩串發、對心發、龜背發、走流注發、下背愈發、腎命發、臀疽、傾毒、手背發、脚背發、臁瘡、遍身流注、腰背發二十四種外科疾病的症狀、病因、病機、病位、治療方藥、隨證加減等内容。例如，鬢疽發，「此症之發，乃肝膽怒火風熱之所致也，用柴胡清肝治之。柴胡、山支(梔)子、白芍、黄芩、人參、連翹、桔梗，加金銀，水煎服。」每一種病證繪有人體圖像一幅，圖中標明病位。

經驗總結，是家傳治療癰疽的經驗彙總，分布於全書。穿插於三部證治者七條，如「治生肌定痛散，乳香、没藥、龜骨、朱砂、雄黄各一錢半，片腦一分，爲末糝之外塗粘膏藥，生肌止痛如神」。分布於三部證治之後者八條，如「上、中、下三部發癰疽有痰者，少加半夏；如無痰壯熱口渴勿用」。列述於二十四症之後者十八條，如「治癰發背以塗各處，用朴硝散末，用童便敷之」。

總之，本書主要論述癰疽等外科疾病的辨證論治，重點叙述了外科疾病的三部證治，二十四種外科疾病的證治方藥，以及家傳治療癰疽的經驗總結三方面内容，言簡意賅，圖文并茂，便捷實用。

三　特色與價值

《良醫家傳外科治癰疽門》在外科陰陽辨證、三部辨證等方面繼承發展了中國外科學術，并有所總結創新。

明清時期，中國外科學術活躍，形成了不同的學術流派，最具代表性的爲正宗派、全生派和心得派。正宗派以明·陳實功《外科正宗》爲代表，書中詳列病證，并附治法，論治精良，總結了明以前外科學的主要成就；全生派以清·王維德《外科證治全生集》爲代表，該書創立了以陰陽爲核心的辨證論治法則；心得派以清·高秉鈞《瘍科心得集》爲代表，歸納了外科上、中、下三部病因與發病特點，提出了外科部位辨證的思想。

《良醫家傳外科治癰疽門》開篇總論部分詳細闡述了癰疽之陰陽辨證法，「蓋高大者爲癰，癰發者屬乎陽；平大者爲疽，疽發者屬乎陰。陽發者用藥頗易，陰發者責效最難……陰陽二字仔細詳的（酌），不然毫毛之間，所繫甚大。又屬陽症者，十日之内可消可散……」。可見，外科陰陽辨證思想貫穿於本書始終。

書中用大量篇幅闡述了外科的部位辨證及其用藥法則，首先將人體分爲上、中、下三部，每一部又分左、右兩邊，各部用藥不同，尤其體現在君藥方面。例如，自頭至乳爲上部，左邊升麻爲君，右邊柴胡爲君；自乳至臍爲中部，左邊青皮爲君，右邊厚朴爲君；自臍至足爲下部，左邊白术爲君，右邊蒼术爲君。各部耳、乳、手、足等關鍵部位左右兩邊所用君藥亦有差别。左耳升麻爲君，柴胡爲臣；

右耳柴胡爲君。左乳青皮爲君，厚朴爲臣，白术爲佐，白芍爲使；右乳桑白皮爲君，厚朴爲臣。左手金銀花爲君，白术爲臣，白芍爲佐，當歸爲使；右手紫蘇爲君，白术爲臣。左足白术爲君，蒼术爲臣，黄柏爲佐，金銀花爲使；右足黄柏爲君，金銀花爲臣，白术爲佐，蒼术爲使。此外，喉中桔梗爲君，麥門冬爲臣；上部發背不拘左右，以厚朴爲君，青皮爲臣；中部以酒黄連爲君，無者用山梔代替，以赤芍爲臣，當歸爲佐，白芍爲使。

現今中醫外科診療疾病仍以陰陽辨證與部位辨證爲主要辨證方法。本書傳承了中醫外科陰陽辨證和部位辨證的學術思想，同時汲取了外科各派的診療特長。例如，正宗派重視顧護脾胃，本書載「治癰疽潰後，用大補氣血脾胃，合十全大補……此藥潰後補養實爲要切」。

本書係越南家傳治療癰疽的經驗總結，記述了大量簡便實用的治療方法，在繼承發揚中國外科學術的同時，也融入了部分越南自己的特色治療方法。例如，本書治療外科疾病時，依據身體左右部位之不同而施用不同的方劑，尤其是君藥的選擇。據筆者初步考察，這種左右辨證的方法未見載於中國歷代主流外科著作中。又以煎煮方法爲例，書中記述了各類中藥煎煮時應先煎的藥物，如「用和解藥先煎柴胡，一二沸後，入諸藥同煎，三部同用。用止汗先煎桂枝。用下藥先煎枳實……病人有濕症，先煎蒼术，下部可用，上中不可用；室女遇此病，加茯神、遠志。」

此外，書中繪製的二十四種癰疽病發部位圖，以圓點示意各種癰疽的發病部位。例如，枕發，生於腦後；蜂巢，發於頭後；天疽，發於腦後對口者；井疽，發於兩乳中間；腰脾肚發，生於上下脾肚之間；左腰發，發於左腰之間；脊中蜂巢，生在正脊心；右塔肩串發，發於右塔肩骨上；對心發，發在對心處；龜背發，生於背上；傾毒，出於腿旁小腸之間近陰上處；手背發，患於手背及指；脚背發，生於膝上；臁瘡，生於内外兩足；腰背發，生於腰上或左或右。此類圖像是中醫外科類古籍中的特色圖像，也是載録數量最多的圖像，頗爲實用。❶

四 版本情況

《良醫家傳外科治癰疽門》成書年代不詳，越南國家圖書館現存鈔本一種，本次影印即以此本爲底本。此本藏書號「R 320」，不分卷一册，未見封皮，書首葉首行載「良醫家傳外科治癰疽門」，無目録，無序跋。正文全部用漢文寫成。四周無邊，無界格欄綫。書口無魚尾，葉面地尾部標有葉碼。每半葉八行，行二十字左右。

總之，《良醫家傳外科治癰疽門》是越南家傳治療癰疽的經驗總結之作。此書繼承了中醫外科學的辨治精華，將陰陽辨證與部位辨證貫穿全書，又加入部分越南特色治療方法，尤其是書中記載的三十三條外科臨床治療經驗，具有頗高的臨床參考價值，對研究越南傳統外科醫學也有一定的幫助。

韓素杰　蕭永芝

❶ 胡曉峰.歷代中醫古籍圖像類編［M］.北京：科學出版社，二〇一七：七六四-七六五.

良醫家傳外科治癰疽門

夫凡癰疽之病始与內傷外感不同隨症用藥功補相參切不可执一偏之見盖高大者為癰〻發者属乎陽平大者為疽〻發者属乎陰陽弃者用藥頗易陰發者貴效最難故經云初發肉色不変堅硬如石時痛時止痛不甚即謂之陰陰者难瘥也用藥之際不可混同施治陰陽二字仔細

1

詳的不然毫毛之間所係甚大又屬陽症者十
日之内可消可散外此者宜從潰治若屬陰症者不
拘日效只以宜内服消毒耗毒等劑外用藥金火熨等
法後可救療切不可以尋常待也雜家之痛諸家所
載不為不多用之有效者未有三部之各從分治上下
不可混雜百發百中舉世並效千金不可傳
一自頭至亂者為上部用藥不拘男女左边升麻為君
右边柴胡為君君者多也

升麻 柴胡 姜活 独活 金銀花 川芎

黄芩 白芷 甘草炙

痛者加乳香没藥欲食不進者加山查神曲痰盛

者半夏陳皮氣虛者加人參當帰去金銀花加條芩

白朮陰痛甚者升柴芩炙用藥不消不散者本方

加連翹皂角刺潰後去金銀倍芪本三部亦然

一自乳至臍者為中部左边青皮為君右边厚朴為君

青皮 厚朴姜製炒 姜活 独活 金銀 白芷

白芍　白朮　餘各依如前

一自臏至足者爲下部左邊白朮爲君右邊蒼朮爲君

白朮　黄芪　蒼朮　黄柏　茯苓　防巳　羌活

独活　金银　牛膝　餘各依如前

一發于喉者本方倍桔梗發于兩乳者本方倍木通

麥芽發背者本方加貝母發于手者本方加白朮

倍金银花以上所隱諱者天地不容得叙捂傳天地

茲歸

一癰疽初發不拘何部不拘陰陽先以白紙浸水固在瘡上先乾者是瘡之頭次以生姜或大蒜擣末作餅置于瘡處艾火灸之痛者灸至不痛不痛者灸至痛或五拾壯或百壯此是絕瘡之毒最妙

一潰後用生肌膏外塗

野芋二兩　石灰經年二兩　乱髮二兩　麻油

先三味混入麻油置入新土鍋煑爛成膏次以黃臘黃丹散末明礬混入同煑後時取出置入磁內密封

候用

神應散

治一切癰疽發背無名腫痛不同日效灸火並用

塗之未成癰即散已成癰即潰服之甚爲神效

黃芪　黃柏　黃芩　大黃各二分　茴香　桂枝各一分

丁香　竜腦各一分半　木鱉子五分　烏竜尾三分半

石灰經年二分　生姜拙自然汁用　木槿子取皮拙汁二十勺　取核灸内服

右各味爲末混八自然汁用隔夜塗外一日夜見神效

吮膿膏　大青石餅八香油煑成膏用纸攤粘
中留一孔以吮膿血加黄蘗松脂尤效
白蘗膏　治疱瘡發背湯火等症去腐肉生新生
飢止痛補血續筋其效如神
當归　生地一两　用水油麻一两　煎藥枯黑濾去查入白蘗
黄蘗搓粉尤效

一治生飢定痛散

乳香　没藥　竜骨　朱砂　雄黄各一匁半　片腦一分

為末糝之外塗粘膏藥生肌止痛如神

一治癰疽發背疔瘡手症已爲圖形分爲三部

右左洋活在外科正宗

凡高大者爲癰平大者爲疽癰屬陽疽屬爲

陰雖曰科用藥卻同内傷所致以兆之也惟初起

外托内消与同傷食故通内科而不知外科

一治上部頭面發於左耳

升麻启　柴胡巨　白朮　川芎　桔梗　羌活

獨活各二分　白芷　乳香　沒藥二ツ　黄芩　或巳服他

藥方者倍加防風　當歸首老者用二分 小者用一分　山梔　荊芥

薄荷　生姜三片

一治右耳　柴胡爲君各味依左邊先食後服三帖

同用此

法此藥病斷相潰宜加連喬半方視膿手按之隨

手而起者膿巳淺加穿山甲一片炙皂角一分膿者去

之　臃瘍未消毒未尽除宜倍姜活金銀花

火加飲食減父倍人參白朮無炒參砂仁麥
芽二味俱炒半分治身上下疼痛加赤芍官桂
當為腎經也冬倍用之　白朮心經之藥夏倍
用之　熟地肺經之藥秋倍用之
川芎青臟和血汁血春倍用之
右各味三部並用惟川芎用頭目中下部無並用
喉中發者桔梗為君麥门為臣升麻俱去傢加頭
面藥飲者宜合

一治左亂青皮為君厚朴為臣白术為佐白芍為使
當歸首一分 桔梗二分 金银花一分 姜活一分 独活一分
甘草炙半分 亂香 没藥各二分 只實 黄芩各一分半
陳皮 白芷 桑白皮各一分 潰者倍白蘞白斂
一治右亂 桑白皮君 厚朴臣 青皮一分半
各味依加左亂藥
一上部發背不拘左右並以厚朴為君青皮為臣各味
依加亂藥

一治左手
金銀 君 白术 臣 白芍 佐 當歸 使 山枝 三分 乳香
没藥 各二分 天花粉 一分 姜活 獨活 各二分 紫蘇 一分
婦人懷胎者去金銀以山枝為君條芩一分
一治右手
紫蘇 君 白术 臣 各味俱如左手藥
一治中部 酒黄連為君無者用山枝代之赤芍 臣
當歸 佐 白芍 使 白茯苓 豬苓 山枝 姜活

独活各二分　桑皮二分　香附一分　甘草炙一分　金銀半分

白皮二分　似服者亦依如前例

一治下部分其两足而施　一治左足

白术君　蒼朮臣　黄柏佐　金銀使　白茯苓

猪苓各二分　姜活　独活　海尾　牛膝

紫蘇　山枝各二分　防已酒炒一分　木瓜　乱香

没藥　赤芍二分　白芍三分

一治右足　黄柏君　金銀臣　白术佐

蒼朮　使　各味依如左尽藥

一治癰疽之法氣虛倍參朮　白人為氣虛　黑人為血虛　血虛倍芍芎　不拘何部治用一法　實者倍姜活獨活三部同一法

外感而發者加姜活川芎青頭目惟痛上部為臣

中下部全去內熱使秘去　參芪　為本加大黃　酒炒

熱多柴胡　山梔　膿不潰為氣虛加參芪官桂

腫赤作痛為血實也肉赤不斂為血虛加熟地

牡丹　皮肉黯不斂為氣虛加參朮加大黃乾姜

大附膿多帶血虛也倍參芪爲地熱多亡血
肝血虛也加牡丹皮山梔熟地山藥三部依此亦
同治藥
一大黃切片酒炒暴乾以備後用庶不傷陽血如年
壯實熱者用不須炒三部亦然
一用和解藥先煎柴胡一二沸後入諸藥同煎三部同用
用止汗先煎桂枝　用下藥先煎枳實
用溫藥先煎乾姜　用利水先煎豬苓

用止渴先煎天花　用止瀉先煎白朮

用止痛先煎白芍　用止嘔吐先煎半夏

同鬱胃傷煎羌活　病人有濕症先煎蒼朮

下部可用上中不可用室女遇此病加茯神遠志

一上中下三部發癰疽有痰者火加半夏如無痰

壯熱口渴勿用

一用秘塗方　大黃　芒硝　烏龜尾　水蔽子

為細末用鷄卵調成膏用

紙攤枯　　癰疽門終

秋背　前胡　川芎　羌活　獨活　防風

桔梗　只殼　吉參　茯苓　荊芥　柴胡

甘草　連翹　金銀　水煎服

外塗瘡丸　丁香三分　肉豆敘半果　桂南皮

洞查神效　托裏消毒　參　芪　蒼木　芎

白芍　白茯　白芷　桔梗

金銀　皂角　甘草

二十四症

椎發

此症生于脳後処者各椎發但用千金托裏治之

為 升麻 川芎 赤芍 黄芪 防風 羌活 白芷 穿山甲 甘草 加金銀花

右各味半酒半水煎服或巴成膿即破膿血去之

加人參 厚朴 肉桂 倍防風

鬢疽發

此症之發乃肝胆怒火風

熱之所致也用柴胡清肝治之

柴胡　山支子　白芍　黄芩　人參　連翹　桔梗

加金银　水煎服

蜂窠

此症癰疽發于頭紋

瘡頭向上瘡尾向下

肉灸窩根形如蜂窠但用黄連清毒治之

黄連　姜活　独活　黄芪　黄芩　黄柏　防風

藁本　甘草　人參　當歸　桔梗　生地　紫菀

陳皮　加天花粉金银花水煎服

天疽　此症發于腦後者对口者

名天疽用千金内托散治之

人参　黄芪　當歸　白芷　官桂　防風　桔梗

金银　衣姜　甘草　各味取酒与水相半煎或用

千金托裏亦可外以白硃砂散用上好雪白硼砂為

细末麻油调涂患処其痛而止

乳疽

乳疽之症有孕者曰内吹養子者曰外吹乃婦人厚味忿懣憂欝以日月火上蒸乳房升化爲濃濁肝經氣滯乳頭竅塞致令結核不散痛不可忍宜用清肝解鬱湯治之

歸　芎　白芍　地黄　橘皮　貝母　乳香

沒藥　人參　連翹　黄芪　肉桂　黄柏　葛根

升麻　甘草　金銀　各味水煎服　或以葱葉熨

之或以茄花燒之調患處

一方以地連昌油〻二味散細塗患処

兩脇

此症之發由肝心火盛虛

中有熱易傷骨膜用瓜蔞湯治之

瓜蔞　當歸　甘草　乳香　沒藥　加金泥各味

水酒相半煎服或用柴胡清肝湯　見變症如潰後

用千金托裏見挑發

井疽

此症乃癰疽之毒於兩乳中
间宜用清心散或小便澁者
加木通大便秘加大黄或已潰叙宜用托裏合清心之
劑即愈

逺志　赤芍　生地黄　麥门　知母　丹皁
生姜　棗子　加黄芩　黄連　白芷　天花
金銀　水煎服

腰胛肚蔆

此名腰胛肚之症也生于上下胛肚之间乃歇食生母毒氣而生也用訶心散

乳香　姜活　甘草　加金用花各味水煎服外塗

胛蓮蓬蔆

此名胛蓮蓬蔆外加蓮蓬内有子孔用托裏散治之

白芷　當歸　人參　芍藥　川芎

陳皮　厚朴　白术　附子　茯苓　加苓

連薄荷 金帰 水煎服

左腰發

此症其于左腰之间初起
灯心照破用追疔湯治之

防風 青皮 姜活 黄連 赤芍 細辛
蟬蜕 澤蘭葉 甘草 紫河車 乳香
姜水煎服

脊中蜂窠

此症生在正脊心如
蜂窠宜托裏散

13

治之　已見蓮蓬又加菊花

右搭肩串發

此症發于右搭肩骨上者以動之処

宜用托裏散加升麻桔梗左肩做此若右發而串左左發而串右者難治之

対心發

此症發在対心処乃因心火盛而熱氣会于此處用清心散清肝湯治之

各見前藥癰并疽

龜背發

此症寿生于背上頭尾俱尖四边散如龜甲

乃因飲食所致陰虚而散恙以千金托裏而治之

走流注發

此症又名扒藤鼻瓜

毒氣麻尾猋而走恙以禄尾湯治之

荊芥穗　牛蒡子　烏藥　甘草　防風　姜活

金銀花　白芷　升麻　黄柏　地黄　水煎服

若流注于手脚遍者必死無号但治十六味流气饮

當归　黄芪　桔梗　防风　木香　叉壳　白芷

人参　川芎　肉桂　白芍　厚朴　苏叶　乌药

甘草　槟榔　加金银花　各味水煎服

下背愈恙

此症由热劳房劳

思过度故两肾俱虚用活命饮治之

白芍　白芷　川芎　當归　貝母　陳皮

乳香　没藥　天花　大黄　金銀　甘草

皂角　穿甲加黄芪　白朮　水煎服

腎命發　此症乃濕熱色勞所

致宜用托裏消毒治之

人參　黄芪　當歸　白芍　陳皮　白朮

茯苓　連翹　白芷　金銀　甘草

各味水煎服

臀疽

此症乃陰虛而悲也
當知臀居小腰之紀

用內托羌活湯治之
黄柏 黄芪 丙尾 當為 藁本 連翹
耳草 陳皮 蒼朮 肉桂 加 金根 白芷
水煎服酒相半或葱葉熨調患処

傾毒

俗云此症实血症也系
週旁小腸之間近陰上

氣或入房急精鬱怒色不遂滯浮腫痒患以江氏
付藥治之
紫蘇　陳皮　香附　麻黄　乾葛　升麻
赤芍　羌活　金銀　白芷　厚朴　木通
水煎服或用流黄礬油搽之

手背

此症之發乃肝膽
小腸經患於手背皮
指患如尾焚血燥筋患者宜用八味消遙散治之

16

白芍　當歸　茯苓　白朮　柴胡　車前

牡丹　梔子　甘草　加黃連　防風　白芷

黃芩　黃柏　黃芪　陳皮　厚朴　各味水煎服

脚背

此症皆生于膝上乃風邪乘之以致其瘡有似人面宜用大防風湯治之

當歸　川芎　白芷　地黃　人參　黃芪

白朮　羌活　防風　牛膝　杜仲　甘草

加金艮　紫蘇　蒼朮　陳皮　秦芁　薏苡

乳香　沒藥　独活　各味水煎服姜酒外用具

母為末敷之或用梹蘇散治之亦可

梹榔　蘇葉　升草　陳皮　木瓜　葱白加

金艮　水煎服

臁瘡

此症生于内外兩足用四生散治之或外搽磨經粉麻油治之

独活　黄芪　白附　皂角 加 薄荷　金銀

乳香　没薬　地黄　黄柏　黄芩　水煎服

遍身流注

流者行也注者住也或浩壊或腿腫皆因素有燥火外感風寒邪気流行至於流注而費用托裏益氣治之或用六味流気亦可

人参　茯苓　白朮　貝母　陳皮　香附　白芍

當帰　熟地　桔梗　甘草 加 金銀　独活　水煎服

腰背發

此症生于腰上或左或右皆同治也

内用千金内托湯外塗十四味千金内托可服

一治癰發背以塗各処用朴硝散末用童便敷之

一方　黄柏　大黄　乳香　没薬　木鼈梱八酒和塗之

腫毒尽散

一塗薬或火痛未破已破固已雄黄木鼈子松脂香油

黄蠟白礬乜蓖為膏以粘痳処

一方用　黄蘗　白礬丸　蘗二兩　溶化存溫入礬四兩
末和均為丸如梧子大每服二十丸食前服飲酒下
日三服此藥生肌膜止痛消毒化膿及諸癰排膿托
裏之功大也或遍身生瘡如蛇類每日百丸大有神
效若有蛇虫所傷溶化熱塗患處內更服之其毒
即解若癰疽瘰癧因素有灯火灸感尾含卵藥
流行至孤流注而發用托裏益氣湯或用文味流氣
亦可田痛尤效用丸溶化如鷄雅肝髮灰末和

均欣條塞八滴処

一癰疽并発各腫毒等症

大黄 酒浸 皂角 各一兩 丁香 火 朴硝 火 白礬 各味散末

与黄臘為丸 金根花与酒陽送下以此丸礬塗上亦可

一治癰疽并発各腫毒礬塗冷酒攪水塗之

大黄 沉香 木香 白檀 官桂 朴硝 竜脳

丁香 回香 黄芩 黄柏 升麻 皂角

一方治癰疽腫痛内飲

金銀 連翹 前胡 羌活 獨活 人參 只壳

白术 黄芪 荊芥 赤芍 甘草 茯苓 水煎服

一治癰疽大潰用 白礬一分 皂角 人參三分 磨服之

一治癰疽發背手症

柴胡 只壳 連翹 羌活 防風 黄芩 甘草

赤芍 梔子 乾葛 金銀 灯心一把水煎温服

一治疔腫痒不忍 葉乾綽 葉茄濂 葉慈襖

葉麻納 葉生再蒜 擣末入醋混均貼痒処

一方治無名腫毒　王再蘇　鵰　紫葉　老施葉

丹桓葉擣末粘瘠処

一方初發三四日或發寒熱或傷寒丹毒或時長感

胃苦服　姜活　前胡　柴胡　川芎　只殼

桔梗　茯苓　人參各等分　甘草少　加金服　荊芥

防風　生姜三片水煎服

一方治癰疽等症用

黄芪　人參　當歸　連翹　防風　川芎

白朮炒　金銀各　厚朴　甘草加冬月加桂 夏日加升麻　水煎服

一治癰疽瘡疥等症皆由氣血淤滯凡毒壅結

此方普散外邪流行氣血排膿止疥生肌肉之同感

用已潰未潰而疥者宜服

加味千金内托散　黄芪　人參　當歸　川芎

白芍　白芷　防風　厚朴　桔梗　官桂　瓜蔞

金銀　甘草　各味水煎好酒半盞温服日進三服

如吐口有黑血出并有汗者此等之攻也不必同症

未成膿者自散已成膿者即破此方痛甚加乳
香沒藥
一方治癰疽潰後用大補氣血脾胃合十全大補
黃芪五分 人參 白朮 茯苓各一錢 當歸身五分
川芎 熟地 官桂三分 甘草 加白芷 陳皮
防風 各味水煎服 如渴加麥門五味 煩燥
加生地麥門冬 有痰咳加半夏 泄瀉加厚朴
小便不通加澤瀉 若怔忡不正加遠志酸棗仁炒

21

胸膈不利加厚朴山查此藥潰後補養爲

要切凡膿潰受陰陽兩虛此藥有回生之力也

活命飲治癰疽七八日

甘草節　赤芍　白芷　天花粉　貝母　乳香各一ソ

防風　歸尾　皂棘　陳皮二ソ　金銀三ソ　沒藥之多

大黄五ソ　穿山甲　用絲封鍋口煎藥勿令泄氣爲

附上下爲之忌酸物鐵器以藥不動腸胃不動矣

血使癰疽未成膿者收已成膿者破排膿止痛

清熱之藥已破膿者勿用此方若在背者以皂角刺為君在腹白芷為君在四肢以金銀花為君在胸膛以瓜蔞為君

一方黃連去皮 大黃 木香 丁香 紅黃各味散末糊丸或內服酒湯送或外用酒塗

一方初發內服消之

桔梗 豬苓 人參 烏藥 牡丹

茯苓 黃芩 黃芪

海外漢文古醫籍精選叢書·第三輯

活世良方

〔越〕富康社志善壇弟子　撰

内容提要

《活世良方》是越南的一部小型方書，成書於越南阮朝保大六年（一九三一），由富康社志善壇組織弟子編撰。書中載録數十種疾病，病下各分爲十簽（十種證型），以此統攝疾病的辨治。當時的越南患者在乞藥之前須誦經念咒，誠心禱告，然後從所患病證十簽中抽取一簽，根據簽中載方的内容進行治療。這種獨特的乞藥方式與越南當時特殊的社會背景相關，但也從一個側面反映出本書所載醫方精良實用，具有一定臨床參考價值。

一　作者與成書

《活世良方》書首録有一序，其中載：「玆見河東省彰美縣文罡總富康社志善壇主武文稠葉普濟望祠，與本處善壇本堂弟子，各有恒心恒産，以求活己活他，其志願亦大而善心有素矣。故吾聲請上帝領旨下凡，先命揚善壇萱生代吾勞，而尋編搜簡，按病摘方，一目瞭然，諸方備矣。次復葉列聖群仙同吾志，對症立方，隨病加味，聚神聖之精靈，通古今之運氣，審病疾之幾微，定醫治之龜鑒，而顔之曰《活世良方》者，蓋欲使人偶試偶效，歷試歷效，豈止活一人……欲盡活百千萬世也。」序後落款時間爲

「皇南保大陸年……」。越南保大六年即西元一九三一年。

越南阮朝保大初年，國内戰亂頻仍，民不聊生，民衆患病後求醫困難。縱使有諸多醫方傳世，但因醫理治法流散，不能將醫方有效運用到臨床。於是，富康社志善壇組織弟子，按照疾病種類分别搜羅醫方，然後依照病證立方加減，編著成《活世良方》一書。

二　主要内容

在書首「活世良方序」後，有病人須知十則、親人須知五則、恩人須知十則，三者均雜有部分喃文；其次爲凡求方須先念咒、乞藥疏和目録。目録分上、中、下三卷，上卷題爲雜病，中卷種子，下卷婦兒。目録中部分疾病的中文名前題有張數（相當於該病在正文中的葉碼，但個别葉碼與正文對應不上），後用喃文註釋病名。據《活世良方》原書目録，此書當有三卷，但今正文僅見上卷。不過，本書上卷之末有「活世良方完」標識，因此推測後二卷可能并未刊刻。

今所見上卷主要載雜病，包括中風、傷寒、中寒、瘟疫、中暑、中濕、内傷、鬱症、痰飲、咳嗽、喘急、哮吼、瘧疾、痢疾、泄瀉、霍亂、嘔吐、呃逆、噯氣、痞滿、鼓脹、水腫、積聚、黄疸、補益、虚勞、失血、眩暈、麻木、癲狂、癇症、驚悸、遺精、淋症、關格、二便閉、痔疾、心胃痛、腹痛、頭痛、腰痛、脅痛、臂痛、痛風、脚氣、斑疹、面病、耳病、鼻病、口舌病、牙齒、眼目、咽喉、肺癰、痓病、消渴、癩疝五十七種病證，實際涵蓋了内、外、五官科的常見疾病。

據本書目録，中卷爲種子，首先是種子總論，包括起居、禁忌、期候、養精、氣至五則，保種、保胎、保産、保孾(嬰)四則，夫妻各十簽，附補遺正方五十方。然後依次記述血崩、産後中風、陰腫極痛、崩漏不止及赤白帶下方、白帶白淫方、安胎萬全、忺(懷)胎中風、子懸、子煩子淋、妊娠便閉、孕婦咳嗽、孕婦痢疾、兒啼腹中、保産無憂、加味芎歸催生難産胎頭不出、横生逆産、産後兒枕痛、惡露不盡、乳腫、乳癰、乳岩、乳頭痛、胞衣遲出、産後痹麻、産後寒熱、催生死胎、盤腸不收、乳汁不通、小兒客忤、小兒臍腫、小兒穀道無孔、小兒吐乳、小兒咳嗽、小兒急驚、小兒不啼、小兒胞魚瘡、小兒口舌瘡、疳暗目、臍腫出汗、牙疳走馬、安神散、萬全方、小兒瘧疾、小兒蟲疾、小兒諸胎毒四十餘種婦産、兒科病證或醫方。

下卷題爲婦兒并補遺雜症，包括調經、經閉、血崩、虚勞、妊娠、小産、産後、乳病、急驚、諸熱、疳疾、腹脹、痧痘發熱、報點出臍起脹貫膿收壓(靨)結痂、蛇咬方、被火燒或水湯(燙)方、浮腫症、足腫方、漏蜆症、狂犬法、四時瘟疫方、瘟疫外治方、入病家不染方、中寒四肢厥冷方、開關散、中風口喎、中風中痰并小兒驚風方、中風中痰方、中暑方、中熱中暑、腹中絞痛、霍亂轉筋、腹痛症、蟲心痛、口瘡方、口舌生瘡、舌出血、喉中結塊、耳流濃(膿)腫痛、兩腮腫痛、風熱腮痛、牙疼方、痄腮方、魚骨鯁喉方、鷄骨鯁方、骨鯁咽痛、蛇蟲傷方、蜈蚣咬方、中藥箭毒、中一切藥毒、骨折筋斷方、接骨方、救溺死法、救刃傷法、救火傷法、囊癰方、楊枚(梅)瘡、虎口毒、穿掌毒方、天蛇頭方、治癆症、治臌症、房勞溺血方、風火時眼仙授方、點眼藥、接骨方、陰腎腫大方六十餘種病證或醫方，涉及婦、兒、外科諸多疾病。

卷上可見的五十七種疾病，每種疾病以十簽形式列述十種證型，簽中記述該證型的病因病機、治則治法，多用四字或五字歌訣編成，然後列出該證醫方用藥、煎服方法、注意事項等内容。例如，「傷寒第一籤：感冒風寒，在表裏間，疏通經絡，我亦有丹。川芎、白芷、麻黄、紫蘇、陳皮、荆芥、柴胡、升麻、乾薑各壹分，甘草叁分，生薑五片。煎服。以被蓋之，汗出自愈。三劑。第二籤：素稟臟腑虚，邪風乘間入，伏在半表間，藥力亦難及。柴胡、桔梗、薑活、獨活、茯苓、川芎、前胡、只(枳)殻、人參各壹錢五分，甘草五分，泊(薄)荷壹撮，生薑七片，又用生薑汁和童便合炒，乘熱熨透，自頭至脚，厚被蓋之。煎服。二劑。再禱。」少量籤中註明「無方」，例如，中風第八籤：「危哉危哉，急禱急禱，尋覓生方，性命可保。無方。」

三　特色與價值

《活世良方》所載醫方是富康社志善壇在按照病種分類收集醫方的基礎上，根據病證重新立方，隨證加減組合而成，新醫方很少標出方名。應用本書醫方治病的方式也較爲特殊，采用讀疏誦咒摇籤的方式乞方求藥。

書首「凡求方須先念咒」，題後小字注「急病各壹遍，緩病念九遍」「方籤通用，十籤而止，臨事隨病密禱是可」。咒語包括觀世音菩薩宣揚楞嚴神咒心、吕祖救劫神咒、太上吕真君急急如律令敕、練靈籤神咒。以練靈籤神咒爲例，載：「奉請玉皇上帝、三教聖人、諸仙諸佛、列聖列神、觀音菩薩……速來速降救護生人，速來速降究察病根。誠能通聖，藥可通神，一服即愈，萬病回春……」

「乞藥疏」後小字注「如急病未及修疏，便以這本隨處換改，跪而密禱」，具體内容如下：「伏以佛聖仙神已具，長生之藥飛潛，動植合成起死之湯，故神農嘗百草，岐伯著方書，而民不夭昏，病無凶札。兹臣弟子××，貫大南國××省××府××縣××總××社××村××壇，維日叩首，前陳情代奏乞聖鑒，懇求卜靈簽事緣。臣所有××年庚，歲於××年××月××日偶攖××症，病增沉重，日寢衰微，想無可望之門，幸有求生之地，爰憑慧眼以察明，應現靈簽而量賜，一摇一拽，萬法萬靈」。

在書首的病人須知、親人須知、恩人須知中，系統介紹了誦經念咒求方的具體流程，文中夾雜部分喃文。據以上内容可以大致瞭解到，患者患病後會按照病情表現確定疾病種類，對應上卷五十七種疾病中的一種；然後誦經念咒，誠心誦讀乞藥疏，於患病十簽中求取靈簽；最後按照所求簽中方藥治療。

本書所收醫方絶大多數不載方名，多爲作者自擬方，具有越南本土特色。以脅痛爲例。脅痛是指以一側或兩側脅肋部疼痛爲主要表現的病證，病因大致包括情志不遂、飲食不節、外感濕熱、跌仆損傷、久病體虚等。病理性質有虚有實，實證中以氣滯、血瘀、濕熱爲主，宜用理氣、活血、清利濕熱之法；虚證多屬陰血虧損，肝失所養，宜補中寓通，采用滋陰、養血、柔肝之法。本書脅痛十簽中多用理氣之柴胡、陳皮、青皮、木香、砂仁、香附，活血之當歸、川芎、白芍、桃仁、紅花，祛濕之羌活，清熱之大黄、黄連、梔子，補養之人參及六味地黄丸。由上可知，本書所載醫方，多是經過富康社志善壇弟子反復斟酌古醫方後提煉組合而成的新方。

簽中多有引人向善的話語，鼓勵患者修德行善，按簽服藥，方可獲痊愈，但少數簽語亦有故弄玄虚之嫌。仍以脅痛爲例，「第二簽：汝脅痛，我心憐，如活命，勿忘恩」「第三簽：家道欠和，凶星正照，無禱無裉，運命不好」「第五簽：若全活，須堅持，心不正，病難醫。既投善地言終始，莫咟（叫）旁人説是非」「第六簽：祖有夙福，汝有善緣，皈頭（投）善地，非天使然，即聖使然」。

四　版本情况

《活世良方》刊行於越南保大六年辛未(一九三一),今越南國家圖書館有藏。本次影印采用的底本,即越南國家圖書館所藏保大六年(一九三一)刻本。此本藏書號爲「R.1788」,僅有一册。扉葉正中刻「活世良方」書名,書名上下左右分書「壽」「禄」「康寧」「富貴」字樣。其後的刊刻牌記鎸「原板藏在富康社志善壇/葉力恭刊與我自求多福/皇南保大六年歲次辛未正月上旬降乩/恒心印送在家能救萬人/沐恩弟子諸人仝奉刊」。原書載目録三卷,正文僅見上卷内容。書首有「活世良方序」一則,落款爲「時/皇南保大陸年歲在辛未三月下浣日/瑶池王母降於富康社志善壇之内宫」。書首序、病人須知、親人須知、恩人須知等以中文夾雜部分喃文寫就,正文全部用漢文撰成。四周單邊,雙黑魚尾。正文書口上部刻「活世良方上」,個别葉刻「活世良方」,中部有疾病名稱與葉碼。正文每半葉十行,行二十五字左右。書末無跋。

總之,《活世良方》是一部將方藥與咒禁祈禱結合,且具有一定佛教色彩的著作。患者需要通過讀疏誦咒摇簽的方式求取書中醫方,然後按照簽中載方的内容醫治疾病。書中收載之方多爲越南醫家所擬,是爲戰亂期間缺醫少藥的民衆而設,在某種程度上反映出本書所載醫方精良,簡便實用,具有一定的臨床參考價值。

韓素杰　蕭永芝

R.1788
THƯ VIỆN
QUỐC GIA
活世良方

原板藏在富康社志善壇

叶力恭刊與我自求多福

皇南保大六年歲次辛未正月上旬降乩

恒心印送在家能救萬人

沐恩弟子諸人全奉刊

活世良方序

今活世良方一部繼彰灵神駙之卜三教具詮之文與呂祖衛生灵籤之後而重作者乃是列聖彰灵群仙眞宰之一片婆心大慨恩意悲天憫人救民度世良方 收法之外無餘矣蓋嘗辰丁未刼運届下元寒暑雨暘天辰乖戾況痛痛癢民病叢生床上呻吟訴苦連声未斷灯前叉側傷身滴淚長流親者則奔走之旁途

活世良方　序　一

雖獲希生活法病者則束手待斃誰為擬命
息人只見庸医俗師誤人性命則多而活人性
命則少且又今生風世善心果報則淺而惡心果
報則深無怪乎疾厄之善患頻仍而医治之良
方罕見也雖有古之方汗牛充棟而治法理論權
流散於無窮又較甚今之病怪狀奇形繼大化神明
亦漸淫而罔辨嗟乎医理何其難医道何其大也
苟非学博天人理窮幽秘神而明之大而化之而邃

云用藥爲醫執方辨症何異入竜宮海藏珍寶雜陳取舍安决欲用焉而不知擇欲擇焉而不得其精幾至釋寶卷以長嗟卧藥堆而受死良可痛哉茲見河東省彰美縣文羅總富康社志善壇主武文稠叶普濟望祠其本處善壇本堂弟子各有恒心恒産以求活己活他其志願亦大而善心有素矣故吾声請

上帝領旨下凡先命揚善壇萱生代吾費而尋編

捜簡摟病摘方一目了然諸方備矣次復叶
列聖群仙同吾志對症立方隨病加味聚神聖之精
靈通古今之運氣審病疾之幾微定醫治之龜
鑑而類之曰活世良方者蓋欲使人偶試偶效歷
試歷效豈止活一人欲盡活一世豈止活一世欲盡活
百千萬世也將見萎者振弱者強枯者澤瘠者
肥危者安殤者壽死者生人稀則庶人庶則富
既庶富矣又加之以教化振之以善端引斯民千

壽域春臺。起斯世于沉疴陷溺。安不由於活世良方之効用得其道哉。至如病情之虛實。治法之補瀉。存乎至不可知。神而明之。斷何如耳。吾願世之業医者。慎勿以淺見薄識。而聽說妄談也可。是為序。　時

皇南保大陸年。歲在辛未三月下浣日。

瑶池王母降于富康社志善坛之内宫。

輔政社普濟壇　乩生蓮奉候
　　　　　　　玹生花奉書

至誠通聖藥通神。救活身先活世人。妙剤灵鐵惟我有。金经玉斛动君闻。欲知壽域为何處。須向灵臺自问津。遍得開頭生路近。優游歲月享長春。

右　何仙奉讚

半聯浮生一夢場。人间苦趣太匆忙。死生病老皆為業。壽夭窮通定不常。茅塞本心罹黑暗。葫芦何日出青囊。可憐大衆多煩惱。却下神仙活世方。

右　李仙奉讚

病人須知 十則

講朱病人𦗏浪

没𡦂病人浠別病𠓨𥻸欺諸疠瘡黜空別法術生對𠓨𠃣重婆旺誒常淫慾過度居處咥侏障報𥗍浥变𤐝辰七情喜怒哀樂愛惡欲邑內傷正氣吏衰散变外辰六淫風寒暑濕燥火買外感邪氣盛路邑𠃣番仍症𤷍恪如勢丕

台𡦂病人浠𦗏別𠃣䀡事疠瘡正自命𢗰扒沛𤼸事疠瘡吏於權 垂佛聖神隨曉事咥侏丐障報

貼命刼磊刼吟麻定點分罰固期限能空固期

限底罰神先喂灵魂命於荒現在尼丕

𠁀罢病人沛𨀐別黏欺𠉞發病辰空固能力麻抗拒

特仍分罰貼皮蓮𠉞定只辟固格自悔自責麻

祝請底求蚂傷朱𡗉買返柴返轢特吶摔吏法

擲病只固罪法罢𠯦力外力神力吧藥力麻催丕

罪罢病人𨀐別𠯦力義罢自鼦悉𠄩別自悔自責麻

靜養精氣神罢𠄩自擲祕病𠄩外力義罢恤饬

外貼仍㝵親人恩人寔塌悬㙮餲底趯摲朱侖、一罢仍病迷爽吧疹纫衣勤㤘𠁔外力奇、神力義罢㤘餲神聖尽傷尽救麻扶護朱侖、藥力義罢㤘餲𧂭湯合症侖病麻調治朱侖呐摔吏只固紇方法摲病罢精神吧物質𠓨。

𠓀罢病人𨉟别権𢪀𣛠𩈘於命𡗶、仍拱固体祕内力外力神力藥力麻𢯏吏権𡗶摲吏仍𡀮造化𠄩𪿚空𧡊𥾽樹特奇數壽夭窮通貼㝵𠓨。

活世良方　病人須知　六

䜹罡病人沛別𠀧挑性命耗菀龍悋色創聖低底希
望悴殘生𠋣塊事瘄痨愁惱辰沛篤沒𢚸信
浪蜍能顕法六通𠫾神五臓吏能樹充㒱魂
樹菀㒱代𣍊朱𡶀特著叮命空篤𢚸信篤𢚸求
辰蜍拱空謁𢚸傷謁𢚸救哂呸㰘拱空灵空
䀡女五
𡗶罡病人沛別神歪固權除特類魔鬼叮別罕㸦
擾害𠇍或𢠩吀命𪒵𢚸仍據信悋色𠋣蜍救

朱罗覩之著傳誦祭能供附奶之麻成𢴑蹅症不治帝丕
參罗病人沛别糅聖窒能仍拱圓欺空能糅塵空能
仍吏固肰窒能吶捽吏垄戈蜎朱能罢能蜎扒赭
沛䟢赭䏓能赭赭垄戈吏在畲𦋦著蜎固偏為之埃丕
尬罗病人铖别沛䟢痂疸即罗沛䟢多罚訶帝吖衩
精神麻納罚訶辰氣庫著䄡物質如吐糅云云淋
納多罚訶辰大褐美罗只䄡仍㤠意底乡福救𣅵
即罗救畲姶丕

进𦓡病人𨍦别𢪀𤼸恩神聖救朱塊病辰沛感恩記
德貽蟳吗系空塊辰𢧚沛責㐌悔心底啇蟳辰耒
拱塊著停倍落能誹謗耒吝黏蟳空救朱女丕。
親人須知　五則
　　保朱親人𥉮浪。
没𦓡親人沛别𨉟病人當眹迷𠯇或群𤷱幼能眷森
空自𢫈特病𠅜麻𠅜𦓡𨉟親屬欣吧詳尽欣𠳨吗
空為病人麻篤意𨖲𢫈辰群悵㑏特女方之𦓡正
𠅜拱連千𤾓𠳒𥺗瘠拱如病人㚢丕。

𠊛𦓡𣎏親人沛別吒𡀳朱病人𡎝事疬痘、命𡎝事憂煩、辰一𦓡㐌穷奇𢘾㐌宴𢙯為𣎏病麻自悔自責自誓底祝請𡢻𦓡嘀求朱病人、𠊛𦓡空管功𢧚損、底𨀈𢯢朱病人𡎝能空、𢬣能𦲸𦓡默自親人着責之𣎏瘖疬𥊚帝丕、

𠸗𦓡親人𥢆別針皮𨀈𢯢餒饢𦗏𥊚、吏沛別𠹾嗷唹術安喂病人朱別用內力合外力麻調治、恤蚆病減辰㐌丕吒貧𧡊病增、辰沛料併排恪𢯢𨃐、着底𥋳滯麻

变証𤤰𠹾漆庫朱病人吧親人帝丕。
罕𠊛親人雖別、仍句詩𠊛没卦貝卦萬灵神卦𧡊进𠓨宮、拱折
字呼名正断变断特奇吁別摧卧意外麻新発
能、空別辰摴桔姜顛麻貼拱特、病之可考過辰吏
𢠩吁詩、病之空考女辰只𢠩吁櫟拱特丕
𩿤𠊛親人沛別、命正𠊛𠫾直接底奏对呢聖神𢭸固
傷親人辰𢭸買救病人校𤻻塊病𠊛巧幸福朱奇
𠓨邊、仍正親人吏𠊛𠫾𤼸恩𢭸𢖵一、埃於厚於薄

自刻⿰㡭石危拱退丕。

恩人須知 十則　呌朱恩人別浪。

没罗恩人沛別𠓨罗𣦍𩛄肪蝟挾丐責任救民㾜世。辰沛產悉慈善麻救民𥪝耿危難承擾竭悉竭飭意罗竭丐本分貼𠓨群𦤾事𫜵𦀾塊能空更權於神聖⿰口尾陰德貼病家。著停施恩麻求报停挾恐麻留心停乘機麻生事停謀利麻剪心停見危麻退志勢辰嗃𠓨祂擾買恒坚丕。

𠄩罗息人沛别部活世良方𡗉𥢆罗救善門底維持善念𢬣罗救每𣈜恪底興起善端丕辰部𡗉空仍罗垓善買勤用竭奇廊帝茹帝别曉格用拱饋朱便用特奇仍𥢆欺用沛設牌位曉号九年於經心法少礼誦經讀疏吏人誦各呪呪列在后𠃩一罗百遍未仕容禱或奏状麻朔筭特丕

𠀧罗息人吏沛别欺接𣈜親人或病人細吁藥辰沛嗨熷症病固仍症之姓名年庚貫址来查目簶貼病

意合目芇卷芇。詞芇。除仍肤退病危急過。辰息人呈。奏、病人覆奏。双耒朔篟拱特。叮系舒緩辰鞋乡礼誦經念呪奏狀。双耒覆奏。謹慎。耒仕朔篟辰能欣肤倍徬過丕。

畢罷息人鞋別、欺没㪽喏黜麰次病曹如浮腫吧小便不利。辰吓包门病浮腫。如痨脖吧脹阬、辰吓包病脹阬。如病哮嗽数過成呼嘮。辰沛吓包病痨。大抵病芇發㹴。病芇礙欲一。辰吓包門病意丕。

吖庫鮮决𣎏㩡朋祕陰陽𠄩信丕。

𨤔
𢧚息人䏧别𢝙欺諸固𠬠吁藥，𠃣㳥孜究目籙病名病狀朱詳𡨹，著停臨事失錯，𦓡舌病人拕罷𠃅命丕。

𦓿
𢧚息人沛别，𢭸病朋精神能欣物質，如排藥活世𡨹𢧚恤飭神聖𩯀欣恤飭藥湯，丕𧋆欺救濟息人勤沛誘掖劝化，朱𠬠病人親人别自悔𦓡祝請，吧𢴑欺塊病，别感恩𧋆空塊病吏別責命，𦓡空盬惄蜎丕。

黖罜息人沛別病㪗厓戈只拵寒热表裡虚寔法㧕厓戈只於温凉汗下補泄性𣛺吏厓戈寒热平温排𣛺辰沛固君臣佐使事判斷意㐌㧅拵𡰙神𡬶辰𠫾諸𥚇膝塵麻聽説女叮固別冋自𢭲𠁀没方弟麻揆㪗辰拱沛卜珓為信買沛丕。

𢁑罜息人沛艎別症㪗病常尚症𡰙变𪓇症恪着排𣛺㐌立成印𢀭册空固体变味𡰙𪓇味恪同斤迻麻

活世良方　息人須知　十二

变𨀎𩻐特、吒儥見病增、辰吘方恪𠅜停、仍儥見病減

麻𤴬群𢶢、辰吏吘𤴬单𬖅𦝄、仍只𤴬吏𨁪色𤽗单

羅𥨨丕、（𠷳𠂒間或買固𠰺湯、麻䔲𧮻𠴍固仍味之、斤两色𩛷、吒𢤞人固别辰計呈卜玟、穷者空埃别辰朱窩吘𢱜吏、）

𤷍𦋦𢤞人𣼽𣊾别、体𢣂𠞺心貼神𢀨傷民、空輕絶𠀳

𤾓色𥘷𢆥、𢤞人停儥見排𬖅無方、麻倍𢶢浪病𦴂、

吏停𠰘𨆢羙外色、麻誣𢡠𠀳𤾓辰買稱當𢀨𠰺

唸𢤞人𡀮几固病丕、

𨀎𦋦𢤞人𣊾别、病人常欺為前世或今生、麻沛𤼸𢪏

疸閒或拱囚凶星冲照冤振牽纏吧邪麻妖怪風氺氣孛侵犯𢂞病人不得已拱沛符法禳禱柴覂𨋤吶𠤊吏拱畀保病人固失其財買得其福甚𡂒𨳒出賤納罰丕仍納罰之朋底賤𠄩福被益利吏𢬣命欣禳禱丕

○凡求方須先念咒急病各壹遍緩病念九遍○右箴通用十箴而止臨事隨病客禱是可

觀世音菩薩宣揚楞音陵嚴神咒心。

唵阿那隸毘舍提。鞞囉跋闍。囉陀唎。盤陀

盤陀弥。跋闍囉。謗尼泮。虎餅音欣都嚧甕泮。娑婆訶。

呂祖救刼神咒。

南無志心歸老祖。求脫人間苦。疾病無纏綿。

安寧天擁護　十干十二支　二十八宿主

天神玉女聞　盡皆降吾杵　寶劍自光芒

殺斬妖敢阻　葫蘆貯靈冊　度盡凡夫苦

牢獄枷鎖笑　水火并瘟母　刀兵急厄臨

路中逢險阻　一切苦相縈　持此化成土
隨念隨時來　降我吉星輔　過去盡生方
現存賴恩主　一聲誦永寧　全家伏龍虎
有此聖靈章　萬魔咸束手
太上呂真君急急如律令勅。
百萬生靈爾爲歸　刧兮刧兮我心悲
吾今解汝千災難　太平日後自有期
練靈籤神咒（由新降于志善）奉請

玉皇上帝。三教聖人。諸僊諸佛。列聖列神。觀音菩薩。

孚佑帝君。明醫聖主。太乙真人。祖師賢哲。列位真人。

隨吾動念。即達宸聞。潮來心血。化現真身。熖熾爕爀。

疾速慇懃。拏風掣電。駕雨騰雲。速來速降。救護生人。

速来速降。究察病根。誠能通聖。藥可通神。一服即愈。萬病

回春。　唵吽吽靈籤萬神悉集。唵吽吽灵籤萬聖押入。

唵吽吽灵籤搖拽。應現神通疾速出。唵吽吽盤嚕伽茲下。

乞藥疏　如急病未及修疏便以單本隨處焚設虔而寄禱如息人代則先祝曰臣息人厶代奏為乞洞監事次然上伏以云云

伏以

佛聖僊神已具長生之藥飛潜動植合成起死之湯故神農嘗百草岐伯著方書

而民不夭昏病無凶札茲臣弟子　貫大南國　省　府　縣

總　社　村　壇維日叩首　前陳情代奏乞

聖鑒懇求卜靈籤事緣臣所有　年庚　歲於　年　月　日

觸擾　症病增沉重日寢衰微想無可望之門幸有求生

之地爰憑　慧眼以察明應現靈籤靈賜一搖一擲萬法萬靈　恭惟

金闕選僊孚佑帝君大天尊　玉陛下

大慈大悲救苦救難觀世音菩薩　蓮座下

明醫聖主太乙救苦真人　殿下

四大祖師　列位鎮盛會同神官　殿下　仰惟

神通廣大　法力無邊默轉金丹散膏肓之疾少伸玉臂挽危病之膓俾病人

一服即安勿藥有喜精神血脈倍覺康彊性命身躬早蒙痊愈但臣等

下情不勝仰望之至謹疏

上卷雜病目籙

前題張數　後解病名

十四十五張 喘急 罗呼急過

十六張 哮吼 義罗嘶

十七張 瘧疾 罗[illegible]瀾

十八十九張 痢疾 罗[illegible]結

二十張 泄瀉 罗[illegible]大便[illegible]兮

二十一張 霍亂 罗[illegible]疡音倚 或吐或泄

二十二張 嘔吐 義罗嗎

二十三二十四張 呃逆 罗[illegible]

二十五張 噯氣 罗[illegible]

二十六張 痞滿 罗溚息

二十七張 鼓脹 罗[illegible]秭如丐加[illegible]

二十八二十九張 水腫 罗[illegible][illegible]秭[illegible][illegible]

印[illegible]辰四

四十七卦 閉格 𪜀連空𥨨𠦳空𡍢如𪜀丐 𠜭揀於𢬣空𡗉東特

四十九卦 痔疾 能生瘡𥚆於𡳳後门 穷於𡳳𠯇𨉟女

五十二卦 腹痛 𪜀疠𨉓膵𨉓𦞐

五十五卦 腰痛 𪜀疠𦡟

五十八卦 臂痛 𪜀疠梗𢬣

六十六十一卦 脚氣 𪜀病於𨆝𨇒 自然疠𠻬昌

四十八卦 二便閉 𪜀𡗉大便小便 条空𡗉特

五十五十一卦 心胃痛 𪜀疠𨉓菓𢚸

五十三五十四卦 頭痛 𪜀疠頭𢧚頭

五十六五十七卦 脇痛 𪜀疠競𦢳

五十九卦 癘風 𪜀疠奸𨉓身体𦡟於𡳳㦖 𦡟於𡳳箕空固一定

六十二卦 班疹 泣命自然𤻻朩㑳 凜沁

活世良方上 目籙 十七

中卷種子目籙 并補遺雜症、

自第一至十八引 蘇子總論、起居禁忌、期候、養精氣、至、凡五則 保蘇、保胎、保產、保孾、凡四則演歌、

夫妻各十籤、 附補遺正方五十方、

自十九引以下 血崩、產后中風、陰腫極痛、自二十引以下、

崩漏不止及赤白帶下方、白帶白濁方、

催生死胎。盤腸不收。乳汁不通、小兒客忤。小兒臍腫。自二十五卧以下小兒穀道無孔。小兒吐乳。小兒哯嗽。小兒急驚。小兒不啼、小兒胞魚瘡。小兒口舌瘡。疳瞎目。臍腫出汗。自二十六卧以下牙疳走馬。安神散。萬全方。小兒瘧疾。小兒蟲疾。小兒諸胎毒。

下卷婦皃目録 并補遺雜症。

活世良方下 目録 十九

疳疾罗稚兒疳或於粗餲叱藪䏻罗後門　腹脹罗厤蘇麻[illegible]啼拙艮菴菴

疹痘發熱　報点出臍起脹貫膿收壓

結疝。自二十一外以下　蛇咬方。被火燒或水湯方。

浮腫症。　足腫方。　瘺蜆症。　狂犬法。

四時瘟疫方。自二十二外以下　又瘟疫外治方。入病家

不染方。　中寒四肢厥冷方。　開幽散。

鷄骨鯁方。骨鯁咽痛。蛇蟲傷方。

蜈蚣咬方。自二十五卟以下 中藥箭毒。中一切藥毒。

骨折筋斷方。接骨方。救溺死法。自二十六卟以下

救刃傷法。救火傷法。自二十七卟以下 囊癰方。

楊枝瘡。虎口毒。穿掌毒方。天蛇頭方。

治癆症。治瘕症。自二十八卟以下 癆勞溺血方。

風火時眼仙授方。 点眼藥。 又接骨方。

陰腎腫大方。

又誡曰。凡婦人之經閉葯。與臨産催生藥。恳人須知確寔。方許卜筮。或投葯方也可。若任意不思。反受其咎矣。

上中下卷目錄完

中風第一籤。可以生。可以死。半存乎人。精於調治。

南星弍戋湿紙裹煨 半夏姜浸炒 木香各壹戋五分 蒼朮弍戋

細辛 石菖蒲 甘草各壹戋 生姜男七片女九片 水煎服一劑再禱。

第二籤。風入心經。痰迷心竅。不可以遲。須當急救。

防風壹戋 烏葯壹戋 陳皮壹戋五分 麻黄弍戋 川芎壹戋

白芷 桔梗 只殼各壹戋 殭蚕五分 乾姜炒黑五分 甘草叁分

生姜叁片 棗壹枚 水煎溫服二劑。

第三籤。衛氣虛空。易感邪風。直冲入裡。其病大凶。

當歸弍戋 川芎壹戋 白苓 陳皮 半夏 烏葯 香附

白芷 姜活 防風各捌分 細辛 桂枝 甘草各叁分 生姜叁片 煎熱服三劑而止

第四籤　東方木兮遇彼大風。況相火動。挾共雷竜。

人参　白朮炒　白苓各壹戋　當皈。川芎　陳皮　半夏　蒼朮各捌分

烏葯　枳壳。桔梗　黄連。黄芩。防風　羌活各七分　甘草叁分　生姜五片　温服二劑

第五籤。痰壅上升。邪風阨逆。若火延遲。發大危劇。

南星弍戋　白苓　陳皮。水姜仁　枳實。桔梗。黄連　黄芩。白朮黑炒各壹戋

第六籤。人参　當皈。木香各五分　甘草叁分　生姜五片　水煎臨服入竹瀝姜汁同服三劑

君不見天外雲飛。八面風吹。又不見林中兎死。來狐含悲。急急禱之。　防風　羌活各七分　甘草叁分　生姜叁片

棗壹枚　水煎臨服入竹瀝姜汁調服二劑

第七籤。行血驅風。聖葯見功。只疑家屬。冤債神重。

當皈弍戋 川芎 白芍 生地各壹半戋 麥門 遠志白苓

烏葯石昌蒲陳皮半夏防風姜活各壹戋 甘草叁分

生姜叁片 水煎入童便竹瀝姜汁微温同服一剤

第八籤 危哉危哉急禱急禱尋覔生方性命可保無方

第九籤 邪風入腎怪害居家子午卯酉壽紀無加

宜服清爽順氣湯 南星瓜蔞仁貝母陳皮半夏甘草

蒼朮官桂防風荊芥黄連黄苓各壹戋 生姜叁片

水煎臨服入木香沉香末五分同服二剤

第拾籤 天地幻冥風折其木賊破心家須早驅逐

砂仁烏葯香附青皮陳皮半夏厚朴只殻各壹戋 官桂

乾姜各叁分 甘草弍分水煎磨木香壹戔同服一剤再禱。

傷寒第一籤。感冒風寒在表裡間。疎通經絡我亦有丹。

川芎白芷麻黄紫蘇陳皮荊芥柴胡升麻乾姜各壹分甘草叁分

生姜五片 煎服以被盖之汗出自愈。 三剤。

第二籤。素禀臟腑虚。邪風乘间入伏在半表间。葯力亦难及。

柴胡桔梗羗活独活茯苓川芎前胡只壳人参各壹戔五分

甘草五分 泊荷壹撮 生姜七片 又用生姜汁和童便合炒乘熱

[illegible]透自頭至脚。厚被盖之。 煎服二剤再禱。

第三籤。内邪脊外邪。内火脊外火限遇六刑臨亦是一不可。

羗活弍戔 防風壹戔半 蒼朮川芎白芷生地黄芩各壹戔

細辛叁戔 甘草弍分 生姜叁片 葱白叁根 水煎熱服二劑次用熱水薰水汗出宜先禱家神後服藥。

第四籤。飮我藥記我恩。胡往事。已早悛。忘也 汝飮河。不思源。令被痛又何言。

柴胡。黃芩。半夏各弍戔 人參壹戔 甘草五分 牡丹 山梔各七分 生姜五片 大棗弍枚 水煎服二劑再禱。此名加味小柴胡。

第五籤。人氣不正邪氣乘虛攻邪術正可痊可徐。

桂枝。白芍。防風。姜活。川芎。白朮各弍戔 甘草壹戔 生姜叁片 棗弍枚 水煎溫服五劑

第六籤。寒邪入裡急以梢治。熱結膓中。恐成塞閉。

桂枝。白芍。柴胡各弍戔 大黃。只實各壹戔 甘草五分 生姜五片

水煎服。大便利則熱退。一劑再禱。

第七籤。按汝疾病時氣不正。況復陰虛。君火失令。

人參 半夏 柴胡 黄芩 百合 知母 甘草各壹戔

青竹茹壹團 粳米炒 食鹽壹撮 入姜汁少許水煎服三劑。

第八籤。按伊之病偶中邪風。由表入裡。胃火可攻。

石膏弍戔 半夏 麥門 人參 甘草 白芍 柴胡各弍戔 生姜五片

粳米壹撮 水煎溫服熱嘔加姜汁二劑。

第九籤。榮衛不和。又斂風邪。不急醫治。変証猶多。

加味益氣湯。黄芪 人參各叁戔 白朮 陳皮 當歸 柴胡 黄栢各七分

姜活壹戔半 防風 升麻 甘草各五分 生姜叁片 水煎服三劑。

第拾籤 術生身不守，臨病勿惡尤，許汝服此劑，厥病自然瘳。

人參 當皈 白芍 梔子炒黑 各壹戔 麥門 知母各壹戔 白茯神 前胡各七分

陳皮五分 升麻 甘草各叁分 大棗弍枚 生姜五片 水煎服三劑

中寒第一籤 臟寒邪寒，病變多端，尒無俗念，我有仙丹。

人參 白朮 茯苓 陳皮 半夏各壹戔 乾姜 附子 肉桂各五分 甘草叁分

生姜叁片 水煎服二劑

第二籤 家為巫史，心惑他歧，偶臨病患，鮮有不危。

人參 白朮 製附子各壹戔 桂枝 乾姜 甘草各弍戔半 水煎服三劑

又宜祈禱家神

第三籤 寒中陰經，厥病非輕，我藥溫解，幸可回生。

白芷川芎當歸厚朴蒼朮陳皮半夏各壹錢白芍只壳麻黄各捌分 官桂乾姜各五分 甘草叁分 生姜叁片 棗叁枚 水煎温服二劑

第四籤 內邪犯臟外祟附形兼符禱藥三者俱行

炙甘五分 附子製弍錢 乾姜叁片 水煎温服一劑再禱

第五籤 平日不修祢吾子弟有事可求甚污我地 無方

第六籤 帝德好生人心嗜死冬日犯寒閉其腠理

老姜搗爛和好酒分為二包炒黑乘熱輪數換之自上及下稍愈再禱

第七籤 吉神若誤可豈有不遇祥愈後欲延生善堂須理首

熟地叁錢 白芍弍錢 山藥叁錢 山萸牡丹澤瀉各弍錢 附子壹錢

乾姜壹錢半 水煎冷服二劑 急謝家神再禱

第八籤 血寒生厥故藥用熱榮衛流通諸災消滅

四物湯 加肉桂姜汁引服 三劑

第九籤 邪盛正衰人强疾弱峻補有方急宜療藥

八味湯倍附子服三劑 凡何籤只言湯名不言藥味蓋欲識者揣摩之

第拾籤 按伊之症屬於况重若信旁言危將旋踵

人參 白朮 茯苓各壹錢 白芍 川芎 當歸各捌分 附子五分 甘草叁分

生姜叁片 水煎服二劑

瘟疫第一籤 宜先禱神然後服藥憑有神功陰扶之力

達源飲 檳榔 厚朴 草菓 知母 白芍 黃芩各弍錢

甘草壹錢 水煎服二劑

第二籤 刼運到頭凶星臨限非種陰功人亡財散 無方

須用老姜一斗搗小和共好酒三大盞童便一碗分為二包炒乘熱

敷上而下前及後

第三籤 瘟將横行日邪精瞎伏間甲支雖 造罪乙丙赤連千

三消飲 即達源飲加姜活葛根柴胡 各壹戔 大黄八五分 服一劑宜禱家神

第四籤 善事不早修天機難再挽我未立成大業來何既晚 無方

第五籤 顧尔家中问尔心上惧耶否耶如斯报障

人参敗毒湯 姜活独活柴胡前胡川芎桔梗只壳茯苓 各弍戔

人参弍戔 甘草壹戔 生姜叁片 水煎服三劑

第六籤 時氣不正人民多病汝覺衛生可保性命

黄芩弍戋 黄連 桔梗 各壹戋半 連翘 牛旁 玄参 石膏 各壹戋 大黄
荆芥 防風 姜活 各叁分 甘草五分 生姜七片 水煎温服二剂再祷

第七籤 春末夏初瘟氣發舒汝病傳染非在皮膚
人参 白苓 白术 各壹戋 麥門 五味 天花粉 各五分 黄芩
知母 各壹戋半 甘草 叁分 生姜 叁片 水煎服二剂

第八籤 寒熱往来傳生入脉不早医治久則難瘥
防風 當皈 白芍 川芎 連翘 大黄 泊荷 麻黄 石膏 桔梗 各捌分 車前子五分
桂枝 荆芥 各叁分 活石弍戋 朴硝四分 甘草五分 生姜湯水煎服一剂再祷

第九籤 偶逢瘟氣犯入身体須祷神扶可以医治
川芎 白芍 熟地 當皈 各弍戋 附子壹戋 陳皮 半夏 白苓 各壹戋

甘草五分 木通弍戔 生姜五片　水煎温服三剂

第拾籤　善無半点障重千重臨事而惧可悪愚庸急請持念心法全家受教再来禱薬　無方

中暑第一籤　鬱鬱空中火飄飄樹上風腠理疎開外暑熱侵入中

香薷 厚朴 白扁豆炒 黄連姜浩各弍戔　水煎热服二剂

第二籤　途石能流爍何况人力弱暑氣入神經清解須勤薬

黄芪 人参 白朮 茯苓各壹戔半 木瓜 香薷 厚朴 扁豆各壹戔

甘草五分 生姜叁片 燈心壹子　水煎温服二剂

第三籤　憐尒群生終身劳碌熱中神经害何太酷　遵依第一籤而服

第四籤　赤帝之神啓尒黎氏劳劳碌碌累及肉身

黄芪 蒼朮 升麻各壹戔 人參叁戔 白朮弍戔 陳皮壹戔
神曲澤瀉黄栢當歸青皮麥門葛根各叁戔 五味九粒 甘草弍分 煎服三劑

第五籤 吉神如擁護邪祟敢行凶良心若斷喪身世必危亡

人參五分 石膏知母各壹戔半 麥門 白朮 枝子 茯苓 烏梅
陳皮香薷扁豆各壹戔 甘草五分 蓮肉拾粒 烏枚壹枚 煎服二劑

第六籤 嗟尔病人勞碌風塵負重行遠驟馬前身

遵依第八籤而服亦愈

第七籤 分合倒顛千里字涼温補瀉六君湯誰知時氣隨人氣人不常天亦不常

人參 當歸 白芍 熟地 白苓各壹戔半
五味天花粉陳皮麥門各壹戔 黄栢 知母各七分 甘草五分

棗弍枚　烏枚壹个　水煎服二劑。

第八籤。須急治。勿延医。熱入裡。亦垂危。　服補中益氣湯

黄芪　白朮　當歸　人參各壹戔半　升麻　陳皮　柴胡各壹戔

甘草五分　加香薷　扁豆各壹戔　煎服三劑。

第九籤。昔不早修。今攖此症。慈悯雖憐。前愆太重。

許服乘熱童便三大碗。愈。

第拾籤。言不咱。令不從。撥尓病。枉我功。

白滑石四戔　炙草壹戔　良砂五分　磨共天雨水送下。

中湿第一籤。湿氣能成熱。蒸鬱在皮膚。疎解有良法。榮衛自周流。

蒼朮　白朮　陳皮各壹戔半　猪苓　澤瀉　木瓜　牛膝　川芎

砂仁各壹戔 厚朴七分 甘草五分 生姜五片 燈心弍子 水煎服三劑

第二籤 湿氣傳身筋骨难伸苟非急治麻木不行

蒼朮 藁本各弍戔 姜活壹戔 防風 升麻 柴胡各七分 水煎温服三劑

第三籤 凶星拱照泉鬼交侵不禱神力大限已臨

独活 牛膝 杜仲 桑寄生 防風各弍戔 細辛 當归 桂心 川芎 白芍

茯苓 人参 熟地 秦艽各壹戔半 甘草壹戔 生姜五片 水煎温服五劑

第四籤 湿熱多多相搏生出萬千端奇形共怪状徒費我灵丹 無方

宜怭謝家神發願改過後可禱药

第五籤 骨節既衰邪風乘之驅風除湿我亦知医

人参 白朮 茯苓 川芎 白芍 當归 熟地 木瓜 牛膝 杜仲各等分

甘草減半　共入好酒煎隔水埋土一宿徐服每服一盞即愈

第六籤　調榮養衛周流肢体既服仙丹勿隨人意

黃松節壹月　檳榔　牛膝　木瓜　沉香　蘇子　大黃

只殼各壹戔　水煎入童便半盞溫服三劑

第七籤　觸怒于神罰及于身不知自責抑死不悛

人參　白朮　白苓　牛必　杜仲　蒼朮各壹戔半　木瓜　續斷各壹戔

甘草五分　生姜五片　水煎溫服二劑再禱

第八籤　仙聖之酒醉德則好我許斯方亦隨所好

八珍湯即四君合四物　加杜仲　牛必　木瓜　姜活　独活各壹戔　大棗五枚　以好酒

瓶謹封煮隔水數刻取出埋土一宿每飲一盞即愈

第九籤、筋骨經絡、血脉衛榮、邪風未去、難復舉行、

人參、白朮、白苓、羗活各壹錢半　獨活、桑寄生各捌分　生地、白芍、當歸

各壹錢　甘草五分　生姜五片　水煎服三劑。

第拾籤、人心浮泊甚、怪疾纏綿多、倘無早自悔、異日死如何、

蒼朮弍錢　續斷、秦艽、破故紙、人參、白苓各壹錢　杜仲、牛膝、獨活各捌分

甘草五分　白朮壹錢　生姜五片　水煎溫服三劑。又宜急求神佑、

內傷第一籤、脾胃倉廪官、停積必吞酸、不勤求藥餌、變症出多端、

補中益氣湯、黃芪、白朮、當歸、人參各壹錢半　升麻　陳皮

柴胡各壹錢　甘草五分　加山查、神曲、香薷、扁豆各壹錢　水煎服、

第二籤、飲食不節、起居不常、中州失宗、謂之內傷、

黄芪壹两 人参壹戋 當皈壹戋 半夏弍戋 陳皮壹戋 神曲弍戋

草豆蔻弍戋 升麻 柴胡各壹戋 黄柏五分 甘草叁分 生姜叁片 水煎服三劑。

第三籤。服藥不減，乃毒氣積膓中，偶逢不正氣，前痊復難攻。

黄芪 人参 白朮 陳皮 麥門各壹戋半 五味五分 甘草叁分

白苓叁戋 大棗弍枚 生姜叁片 水煎服五劑。

第四籤。刑灾冲照命，辛乙午羊年，此刑如走脱，彼灾文相纏。

黄芪弍戋 人参 白朮各壹戋 半夏 橘紅各五分 白芍 甘草 黄連

独活 防風 姜活 柴胡 茯苓 澤泻各捌分 生姜五片 棗弍枚 煎服四劑。

第五籤。湿熱在脾，脹瘥生之，仙丹一下，神效無疑。

黄芪弍戋 人参五分 炙草壹戋 當归 柴胡各叁分 蒼朮壹戋

升麻叁分 青皮五分 神曲七分 水煎食遠飲三劑

第六籤 故家不全善，我藥不全冊，可惡人情治，致死亦何冤。 無玄

第七籤 自身作寃，有病先知，既飲聖藥，勿惑他岐。

黃芪壹錢 遠志五分 人參 白朮 白苓 山藥 蓮肉各壹錢 薏苡 麥芽 神曲 砂仁各捌分 甘草叁分 生姜五片 棗弍枚 水煎服三劑

第八籤 回頭不早，失足多番，內傷受症，恐或難瘥。

蓮肉 白苓 山藥 薏苡各弍錢半 麥芽 欠實各壹錢半 砂仁 神曲各壹錢 甘草五分 生姜五片 藿香三葉 水煎溫服三劑 兼修解厄札

第九籤 窮途方到此，近死始求醫，名師如不遇，旦夕亦垂危。

香砂平胃散 只實捌分 木香五分 藿香捌分 香附壹錢 砂仁七分

陳皮弍戔 甘草五分 生姜叁片 水煎温服四劑

第拾籤 人生在世須作善緣既消障報又廣福田

香附壹戔 砂仁五分 人參五分 白朮壹戔 白苓 陳皮 半夏各壹戔

木香 白豆蔻 厚朴 益智 炙草各五分 霍香壹把 生姜三片 棗壹枚 煎服二劑

鬱症第一籤 鬱結心胸氣由上攻如針如刺亦至危亡

木香五分 烏藥 香附 青皮 砂仁 厚朴 陳皮各壹戔 官桂壹分

川芎 蒼朮各壹戔半 甘草五分 生姜五片 水煎磨木香同服三劑

第二籤 木香順氣無使逆行嗟哉汝病由汝心生

厚朴 蒼朮 陳皮各弍戔 香附壹戔 砂仁 只殼 山查 麥芽 神曲 乾姜 木香

各五分 甘草壹分 生姜五片 水煎磨木香同服二劑

第三籤 安欲其死抑欲其生何而暗昧不覚持経 無方

以艾葉和酒炒熱熨痛處

第四籤 肝火鬱抑提于胸臆医治得経庸師不識

當歸白朮川芎牡丹香附烏葯只壳青皮各弐銭 官桂 乾姜

甘草各五分 桃仁壹銭 紅花五分 生姜五片 煎服二剤再禱

第五籤 氣鬱不解為胸中怪痛苦难堪六刑五害

陳皮壹銭 木香五分 瓜蒌只實桔梗撫芎蒼朮香附杏仁片芩

貝母各壹銭 砂仁五分 生姜五片 水煎入姜汁竹瀝以許磨木香同服一剤

第六籤 莫臨渴而掘井須未雨而綢繆若葯不瞑眩厥疾不瘳 無方

第七籤 礼神明謝祖墓飲仙丹疾病愈

川芎 貝母 香附 蒼朮 神曲 山梔 連翹 陳皮 只殼

蘇梗 甘草各壹錢 水煎服三劑

第八籤 聖德慈祥塵心皆泊至再至三愚泯難覺

神曲香附蒼朮川芎山梔各等分 煎服一劑再禱

第九籤 善心懈病根生不悔改咎非輕

山枝乾葛柴胡川芎白芍地骨連翹各壹分甘草叁分 煎服三劑

第拾籤 思傷脾怒傷肝氣血逆医甚難 逍遙散 急飲三劑

痰飲第一籤 藥力未到處病根難早痊加減三五劑欲愈莫吝錢

陳皮半夏茯苓甘草各等分 水煎入姜汁少許三劑 又宜謝家神

第二籤 自病生痰脾湿誰諳我今用藥攻補相參

瓜蔞。只實。桔梗。茯苓。貝母。各叁戔 陳皮片。芩。山梔 各壹戔 當歸 六分
砂仁 木香 各五分 甘草 叁分 生姜 叁片 水煎。入姜汁竹瀝同服二劑。

第三籤。 痰嗽日久傳變成癆。不勤禱藥元氣日消。
宜服六君湯。即四君 加陳皮半夏。 水煎。入姜汁竹瀝同服三劑。

第四籤。 人情世態治如今負義忘恩忍立心不記當年將死日再生功德最高深。 無方。

第五籤。 火爍真陰竭痰壅元氣虛。誤服愚庸劑。害豈小也歟。
陳皮半夏。茯苓麥門。各壹戔 五味 橘紅 各五分 甘草 叁分
白芥子 五分 泊荷 叁分 水煎入姜汁同服三劑。

第六籤。 病深藥亦遲。欲速我難医。歡了此三劑。痊否自然知

白苓　陳皮　瓜蔞　只實　桔梗　天門　桑白皮　杏仁　蘇子 各壹戔　甘草 五分

水煎入姜汁竹瀝同服三劑

第七籤　急禱家神保護其身隐藏寺器害幾經春

遵依第二籤而服

第八籤　問汝家事須卜萬灵療汝痼疾須服六君

宜服六君子湯加麥門　五味　貝母　桔梗 各半分　服二劑再禱

第九籤　家庭淹滯疾病相繼此已稍安彼恙未起

陳皮　半夏　茯苓　白芍　當皈　熟地　川芎 各弍戔

甘草 五分　烏枚 弍個　水煎入姜汁竹瀝少許同服三劑

第拾籤　家中生怪室外興妖不憑聖力物損人耗

橘紅五分 香附壹錢 青黛五分 半夏山查各壹錢半 黃連五錢 白苓叁錢

蘇子七分 連翹五分 白朮炒弍錢 生姜拾片 皂角壹枚 水煎溫服三劑。

咳嗽第一籤。乾咳病生，夜重日輕，究其原來，由脾受刑。

紫蘇 前胡 桔梗 只殼 葛根 陳皮 茯苓 半夏各壹錢半 甘草 人參 木香各五分 生姜叁片 大棗弍枚 水煎食後徐服三劑。

第二籤。火炎能爍肺，咳久亦成癆，仙方如盡信，朝夕免咆哮。

甘草 麻黃 杏仁各弍錢 荊芥 桔梗各壹錢 生姜柒片 煎服五劑。

第三籤。小疾須介意，初感急尋医，只恐真陰損，大禍即隨之。

甘草叁分 黃芩壹錢半 桔梗 茯苓 陳皮 當歸 貝母各壹錢 桑白皮 天门 山梔 麥门 杏仁各七分 五味七粒 生姜七片 棗壹枚 水煎食後服三劑。

第四籤。咳嗽病已深。虛火爍真陰。本方從急治。以禦外邪侵。

知母　杏仁　桔梗各壹錢半　阿膠　亭藶　款冬花　兜鈴各壹錢　甘草　陳皮各五分　五味叁分　人參　生姜叁片　煎入姜汁竹瀝少許同服二劑。

第五籤。以心補心肺補肺。先聖立方深有理。沒有眼釘眛不知。豈敢妄談医者意。

用猪肺一个。洗淨血水。若病人每歲用杏仁壹个。去皮尖。將肺以竹片簽眼。每眼入杏仁壹个。麻扎住。安磁器內。重湯燉熟。去杏仁不用。只吃此肺。輕者只用一具。重者二具全安。

第六籤。　藥味少。功效多。試一料。果如何。

杏仁去皮　胡桃肉　右二味共研入百花膏少許為丸如彈子大。每服一丸。細嚼。姜湯送下。

第七籤。肺氣不和咳嗽日多。葯歆全愈。善向全家。

宜服六君湯。加杏仁 欵冬花 百合各并分 三劑再禱。

第八籤。從来善不真。有事拜諸神。徒劳吾聖葯。文損發戊交無方

第九籤。家內不祥物。損人傷申子戌歲將巳安床。

宜服八味湯。須香花懇禱家神二三位

第拾籤。善心憐惡疾。生久咳嗽。受天刑。

六味丸 加麥門 五味 人參 服三劑

喘急第一籤。呼呼吸吸。肺氣痘急。先服此册。以補不及。

黃芩 山梔 只實 桑白皮 各壹戊半 陳皮 白芩 杏仁 蘇子 麥门 各壹戊

貝母捌分 沉香 磨木 良砂 研末臨服八五分 生姜叁片 水煎入竹瀝同服一劑 急禱 急禱。

第二籤。欲死耶。欲生耶。減毒口。起沉疴。精神力保身家。

人參白朮茯苓各弍戔陳皮厚朴砂仁蘇子桑白皮各壹戔當歸甘草各捌分沉香木香各五分生姜叁片棗弍枚水煎磨沉香調服三劑再禱

第三籤。乙癸同源肝腎同濟水火不交天地大否危哉危哉死矣死矣憑列聖功還生改死。 無方。

第四籤。喘急日短生者亦鮮作大陰功可贖罪案。

砂仁 乾姜 蘇子 厚朴 官桂 陳皮 炙草各壹戔 沉香 木香各五分磨水入 生姜叁片 水煎磨沉香木香同服三劑。

第五籤。吳牛喘月。蜀犬吠日。入墓之方非凶則戍受病之人恐庚與乙值無方籤急禱勿失。 無方。

第六籤　誓願前年有發心今日無勿怨天共地不救鄙薄徒

蘇子　陳皮　前胡　厚朴　肉桂各弍钱　半夏　當皈各壹钱　甘草五分

生姜叁片　東弍枚　水煎服一剂　又宜作福奶謝家神

第七籤　死已到頭我心則憂為医有學改死無謀惟有南北二斗堪能益算添壽　無方

第八籤　家族不寧恐損財丁從前醮祭未合正経

人参叁钱　麥門　五味各壹钱　附製五分　水煎入姜汁竹瀝同服二剂

第九籤　歿代人乞藥奏对多差落須急繕奏文求他方亦得　無方

第十籤　運猶損財心須集福縱有因循恐難再贖

麻黄　杏仁各叁钱　石膏五分　甘草壹钱　細茶壹撮　桑白皮壹钱

有痰加二陳湯生姜叁片 葱白叁根 煎熱服二劑

哮吼第一籤 哮症有年損幾何錢不全向善難解前愆

麻黄 杏仁 茯苓各壹錢 陳皮 半夏 石膏各弍錢 人参捌分

細茶壹撮 沉香 木香各五分 生姜叁片 葱白叁根 煎服三劑再禱

第二籤 汝解限用欽天汝解病用金錢專調治可安痊

麻黄叁錢 杏仁壹錢半 片苓 半夏 桑白皮 蘇子 款冬花各弍錢

甘草壹錢 白菓弍拾壹个 水煎服五劑

第三籤 痼疾纏身應作廢人不恐病重只恐家貧

白砒弍錢生用 枯礬叁錢 淡豆鼓壹両 右搗作丸如綠豆但覺舉發用

冷水茶送下五丸甚者九丸以不喘為愈每不必多增丸及慎

之慎之。小兒減太半。

第四籤。經年不愈。一剤難除。不如遂出。使覔他師。　無方。

第五籤。奇症立奇方。聖德無無量。人情多屢治。疾愈多先忘。

竜樹汁壺盞　北斗魚壺尾另々菓　切片炙乾浸汁再炙再浸三次研末陳皮煎湯下。

第六籤。不愈不愈。勿求勿求。除非集福。屢疾不瘳。　無方。

第七籤。聖意誰知。汝病誰識。喘哮之期。損幾心力。

羊糞　橐樟二味混為一。嫩竹筒中。水浸一宿去葯并竹。取水入柔米煯食。甚是神效。

第八籤。須慎汝心。須戒汝家。心無定主。厄難猶多。

蘿蔔子淘净蒸熟晒乾為末姜汁調蒸餅為細丸每服叁拾
粒自用韋湩送下

第九籤 不賜汝藥方非悪汝疾痼只恐信不真仙方亦無補 無方

第拾籤 用外方治內疾神妙毋許汝吃集福緣贖過失不咱呈言死有日
用烏鷄卵壹个去黃取白調共雄黃弍戔丁香拾个 數於白紙上晒乾
捲作一條火一頭吸一頭以煙尽為度以吐尽涎則愈

瘧疾第一籤 邪在皮膚寒居臟腑半表裡間結成瘧母
柴胡川芎白芷半夏麥門桔梗草菓青皮茯苓各壹戔
桂枝甘草各叁分 常山炒壹戔半 生姜叁片 大棗壹枚 水煎預先發熱服二劑

第二籤 瘴氣共嵐山積在腹臟間藥力難爭到日晡發熱寒

川芎 白芷 麻黄 白芍 防風 荆芥 紫蘇 姜活 各壹钱 甘草 叁分
生姜 叁片 葱白 叁根 水煎去渣露一宿早服 一劑再禱

第三籤 甲丙戊庚壬剛日尅柔陰 攻收解補法 我葯值千金
人參 茯苓 陳皮 半夏 厚朴 蒼朮 霍香 當歸 川芎 草菓 各壹钱
何首烏 叁钱 甘草 五分 烏枚 弍个 生姜 叁片 紅棗 壹枚 水煎温服 三劑

第四籤 瘧已久 恐成母 服此方 須戒口 忌豬鷄共等酒
人參 白朮 茯苓 當歸 青皮 厚朴 柴胡 黄芩 知母 各捌分
桂枝 叁分 常山 酒浸 草菓 鱉甲 各捌分 烏枚 壹个 甘草 叁分 水煎温服 三劑

第五籤 截瘧有方 報恩無礼 卧昔知今 人情似紙
檳榔 青皮 草菓 常山 厚朴 蒼朮 防風 各壹钱 人參 壹钱半

甘草叁分 烏枚壹个 生姜五片 棗弍枚 水煎温服二剂。

第六籤 先禱聖，後尋医，兼受教心法持，若輕視，死何疑。

人参叁戔 常山弍戔 丁香壹戔 甘草五分 草菓弍枚 烏枚壹枚 服二剂。急禱家神。

第七籤 汝之病，須禱聖，除諸灾，以保命。

梹榔 草菓 常山 厚朴 青皮 陳皮各壹戔 甘草叁分 生姜叁片

水煎，露一宿，空心早服一剂。

第八籤 寺家不遠，善室非遥，藏伏聖器，疾病難消。

人参壹刃 水煎一盞 老生姜汁一盞 混入調均，露一宿，早辰空心

服，預先期 一服而愈。

第九籤 須信心，勿他適，我許之，效無敵。

厚朴 陳皮 霍香 各五錢 蒼朮弍錢 石昌蒲弍錢 甘草五分
草菓弍枚 水煎温服二劑。
第拾籤。窮途到此。識意全無。葯不及病。何辰愈乎。宜礼忏解。然後
用葯方助。 無方。

痢疾第一籤。暑天熱氣。積膓胃中。用葯蕩滌。萬病皆空。
川芎 黄連 黄芩 各弍錢 白芍叁錢 當歸壹錢半 桃仁壹錢
升麻五分 生姜五片 水煎空心温服。

第二籤。垢濁未除。难求其凈。邪氣猶存。难復其正。故用此方以蕩滌之。
生地 皈尾 檳榔 只殼 莪朮 黄連 各壹錢半 赤芍壹錢 大黄五分
水煎温服。見大便利。一日或一夜則止。一劑再禱。

活世良方上 痢疾 十八

第三籤。初起不治成流年痢。誤服庸医。敗脾敗胃。

人參　白朮　茯苓各壹戔　當歸弍戔　砂仁七分　山茱　陳皮各壹戔

甘草五分　烏枚壹个　燈心弍子　水煎温服三劑。

第四籤。欲活大腸。當飯訶子。欲温脾胃。木香肉桂。仙聖立方。深有医理。

肉桂五分　人參。當歸　訶子　木香　白芍　白朮　只殼　豆冦各壹戔　甘草五分　生姜叁片　水煎温服二劑。

第五籤。通因通用。妙用如神。攻病如此。俗眼難分。

白芍當歸黃連黃芩各壹戔　木香桂心檳榔甘草各五分大黃七分

生姜叁片　水煎温服。利則止不利再服。

第六籤。似痢非痢。補中有攻。久久變症。腸癖腸癰。

人參 黃芪 當歸 白朮 各壹錢半 陳皮 柴胡 升麻 各壹錢
甘草 五分 生姜 五片 大棗 弍枚 水煎温服三劑

第七籤 身有病矣口不藏之偶遇毒氣变症难医

木香 青皮 梹榔 陳皮 只壳 當歸 香附 各壹錢 黄芩 黄連 黄栢 各柒分 三棱 莪朮 各五分 大黄 叁分 水煎温服二劑再禱

第八籤 非难亦非易不忮亦不求汝家不向善汝病決难瘳 無方

第九籤 氣虚不傳送以致脫其肛若投活潑藥变症生直腸

人參 白朮 白芍 訶子 各壹錢半 豆蔻 肉桂 木香 各叁分 粟殼 甘草 各五分 水煎服二劑

第拾籤 久泄久痢事脾無功急補命门火以生脾土此所謂虚則

補其母之義也。宜服八味丸加小茴蜜煉約三斤。

泄瀉第一籤。湿邪入胃。暴泄可攻。病人不信。必致危亡。

猪苓。澤泻。白朮。茯苓 各壹錢半 蒼朮 厚朴 陳皮 白芍各壹錢

肉桂 甘草 各五分 生姜 五片 水煎温服二剤。

第二籤。時氣不和暴泄多。况當亂世萬妖魔。急陰修福陽修善。挽回天數起沉痾。

人参 白朮 乾姜 各弍錢 赤苓 壹錢

官桂 叁分 霍香 陳皮。甘草 各五分 川黄連 炒 壹錢 吴茱 壹錢 生姜 叁片

燈心 弍子 水煎温服三剤。

第三籤。限臨白虎遇喪門。禍害那能易保存。不誦心経兼敬送。福星不到未還魂。

白朮 五錢 人参 赤苓。猪苓。澤泻。蒼朮。各

弍戋　山葯叁戋　白芍壹戋　山梔　陳皮各壹戋　甘草五分　烏枚壹个

竹心弍子　水煎温服二剂、

第四籤、臨危憑日者、有事拜巫師、穷途方到此、平日不皈依、無方

第五籤、瘟氣流行、凶星冲照、大小重逢、忌於亥卯、

牛夕　車前各弍戋　茯苓壹戋半　人参　肉桂各壹戋　白朮五戋

炙草壹戋　粟米壹撮　水煎温服二剂再禱、宜恸家神、

第六籤、清濁不分、必生水泄、一月車前、服之痊可、

車前子壹月微炒　竹心弍子　生姜叁片　服之、

第七籤、限照三灾、病臨六害、不峻補方、陰亡陽敗、

人参　白朮　豆蔻　乾姜　訶子各壹戋　粟穀　甘草各五分

附製弍分生姜叁片灯心弍子　烏枚壹个　水煎温服二剤、

第八籤、汝欲知生路、我自有灵丹、作福以贖命、改死亦何难、　無方、

第九籤、限戹臨頭、不知礼解、我葯雖灵、外邪作怪、

防風、蒼朮、白芍、茯苓各壹戔半　白朮叁戔　生姜五片　燈心弍子　水煎温服一剤再禱、

第拾籤、病根原自心根發、毒氣皆隨運氣來、丹將胡芦留聖地、只緑俗服望中差、　用八味倍茯苓澤泻怀山歛之　三剤、

霍乱第一籤、脾胃不和、叅乱如麻、吾妝吾解、謝礼如何、

人参、柴胡、白朮、白苓、白芍、當归、陳皮、麥门、山梔、甘草各壹戔　五味拾粒

烏枚弍个　燈心壹子　水煎服一剤再禱、

第二籤、青青山上松、風雨乱飄蓬、誰為家内主、鉄石在心中、

霍香、蒼术、厚朴、砂仁、香附、木香、只壳、陳皮各壹戔 炙草 乾姜 官桂各五分 生姜叁片 水煎磨木香調服三剂、

第三籤、痛刺肝腸上嘰咽舌喉间、驅除邪毒氣、我自有金丹、

蒼术 霍香 厚朴 陳皮 砂仁 香附 半夏各壹戔 甘草七分 生姜叁片 大棗弍枚 燈心壹子 水煎服三剂、

第四籤、正氣既衰、邪風乘入、我許些方、以救其急、

紫蘇、陳皮、厚朴、半夏各壹戔 霍香弍戔 白术 白苓 桔梗 大腹皮各壹戔 甘草捌分 生姜叁片 大棗弍枚 水煎温服二剂、

第五籤、邪風入胃症多危、亦一悪心豈易医、我葯有神难取效只縁壽命促歸期、急禱急禱、用綠豆粉和白砂糖少許服之、

第六籤、欲上不得下不得、惡症將危人不識、世人多昧亦多疑、縱有神仙休用藥、

草菓仁叁戔　附子五分　橘紅壹戔　甘草五分　生姜叁片　水煎冷服一剤、

第七籤、聖藥不效、汝心不好、嗟彼凡庸可怒可笑、

木瓜弍戔　半夏壹戔　砂仁壹戔　霍香弍戔　杏仁壹戔　白朮弍戔　厚朴　赤苓　白扁豆各弍戔　甘草壹戔　生姜五片　大棗弍枚　水煎溫服三剤、

第八籤、不見夫鄉鄰有人、為善心真、偶臨小疾、聖藥如神、至及汝病、恐不保身、

猪苓　澤瀉各叁戔　白朮　白苓各弍戔　官桂壹戔　生姜五片　煎服二剤、

第九籤、藥力不如神力猛、病根原自禍根來、不早誓言行福善事、自家之內必招災、

陳皮　霍香各壹两　散末調酒服

第拾籤。非憂汝病。只惡汝心。有葯不許。長使呻吟。 無方、

嘔吐第一籤。氣逆在上。嘔吐痞脹。聊折火邪。以安五臟、

黄連、山梔、竹茹 各壹錢 人參 五分 白朮 茯苓、陳皮、白芍、麥門、甘草 各叁分 炒米壹撮 烏枚壹个 棗壹枚 水煎徐徐温服一劑、

第二籤、吐則亡陽、脾胃俱傷、急用外法、吴茱丁香、

人參、茯苓、白朮、乾姜、陳皮、霍香、丁香、半夏、砂仁、官桂 各弍分 生姜叁片 烏枚壹个 水煎徐徐温服二劑、外用丁香數十个 吴茱叁錢 黄連壹錢 同混炒煎之、徐徐含吞下、

第三籤、灶為一家主、心作五臟君、心神不自正、禍必及于身、

甘草 叁分 生姜 叁片 水煎徐徐温服、

第四籤 妙藥坛中有、善根家中無、欲求求不得、許汝汝思夫、

黃舟梔欝 各壹戔 以大棗為丸如梧子以針火燒燈磨共清水服之即愈、小児半丸

第五籤、汝遇大毒、發逆甚速、皆因悪心凶神所觸、

人参白朮炙草乾姜 各弍戔 丁香壹戔 生姜叁片 大棗弍枚 煎徐服三剤、

第六籤、神聖救尒匪直一次、不記其恩、何薄若此、

白豆蔻丁香 各壹戔 二味共末糊丸如緑豆、每服十丸、小児三丸、

第七籤、家中不祥、幾度桑滄、只緣福少、衆悪相戕、

白朮人参白苓陳皮半夏甘草 各弍戔 丁香拾个 水煎入姜汁少許服三剤、

第八籤、一吐臟腑傾、二吐元陽散、三四五六吐、不死者亦鮮、 無方、

第九籤、急礼禱、勿遲延、若変症、死難痊、

陳皮半夏茯苓炙草吳茱炒各貳錢黃連炒山梔黑炒生姜各貳錢徐服三劑

第拾籤、曾祖結怨子孫遺冤乘機報惡難以保全、

半夏陳皮砂仁霍香茯苓當歸白芍各壹錢半連肉壹錢丁香拾个

甘草叁分生姜拾片　水煎徐服二劑、

呃逆第一籤、呃能致死逢寅申子大限迫臨吾恐危矣、

丁香拾个柿蒂五个官桂弍分陳皮半夏茴香霍香厚朴砂仁各壹錢

甘草五分生姜叁片水煎磨木香沉香各叁分乳香末叁分煎服二劑、

第二籤、平日不節度到底為誰傷從今須切悔埋首入善堂則可愈也、

柴胡黃芩山梔砂仁半夏竹茹各壹錢茴香五分霍香捌分甘草叁分

柿蒂五个生姜五片　水煎磨沉香木香各叁分溫服二劑、

第三籤、一方吾何惜片善汝無為先須發誓願再禱亦何遲、無方、

第四籤、呃症本非輕、如欲望殘生、陰功須培植、發願印鐫經、

黄連、竹茹、麥门、山梔、陳皮、半夏 各壹錢 砂仁 茴香 蘇子 各五分

甘草 弍分 生姜 弍片 烏枚 壹个 水煎磨沉木香 各叁分 調服二劑、

第五籤、臨難無苟免、有病自身知、自作还自受、天道亦無私、無方、

第六籤、君不見山上石、有辰汗滴滴、況是吾人身、四圍皆受敵、

茯苓 半夏 厚朴、乾姜 官桂 砂仁 陳皮 各壹錢 霍香 捌分 茴香 七分、

甘草 叁分 丁香 拾个 柿蒂 叁个 生姜 叁片 水煎磨沉木香 各叁分 服二劑、

第七籤、不作陰功難贖罪、貪求賤價豈知医、失足已經三四度、自

尋其死誰之咎歟、 硫磺 乳香 右等分為細末以酒煎急

患人覲之即愈

第八籤、天夜寒燠不常、人民疾病難免、况是水火衰必然生内變、

橘皮竹茹各叁錢 人參 生姜各五錢 炙草叁錢 大棗五枚 丁香拾个

柿蒂五个 水煎磨沉香叁分 調服二剂、

第九籤、火邪上攻似痰似風不急調治立見危亡、

木香 玹香 白豆蔻 丁香各叁錢 砂仁四錢 炙草 霍香各壹錢半

共為細末每服壹錢塩湯下、

第拾籤、肾氣不升陽氣不下、我用此方可無不可、

補中益氣湯加丁香拾个 柿蒂五个 生姜五片 烏枚壹个

水煎磨沉木香各叁分同服則去升麻、三剂、

噯氣第一籤、噯酸吐噯、人曰胃寒、惟我対症、又謂挾肝、

陳皮半、夏茯苓、山梔砍仁、白豆蔻、益智各壹戔半 只實捌分 厚朴捌分

甘草叁分 香附壹戔 生姜五片 水煎溫服三劑、

第二籤、淹滯不通、多因氣弱、疏導泉源、惟有聖藥、

南星半、夏石膏、香附山梔炒、丁香各弍戔 白豆蔻壹戔 生姜叁片

水煎服或作丸亦可、

第三籤、既見汝面、忽怒我心、記汝罪重、忘我恩深、 無方、

第四籤、汝看汝家、汝覌汝旋、已幾何年、瞭然在目、

人參、白朮、乾姜各弍戔 甘草五分 木香 茴香 益智 陳皮

厚朴 香附各壹戔 生姜五片 水煎溫服三劑、

第五籤、脹重寃深、禍患相𣏌、時辰已到、衆惡交侵、

香附 梔子各四𢎥 黄連 只寔各弍𢎥 檳榔 莪朮 青皮 乾姜 蘇子各壹𢎥 生姜叁片 水煎或為丸如梧子每服三十丸滚水送下

第六籤、自身不知度、全憑聖力難、恐逢千剛日、变出症多端、

蒼朮 陳皮 半夏 茯苓 神曲各弍𢎥 吴茱 砂仁各壹𢎥 甘草五分 霍香壹𢎥 生姜五片 水煎温服、

第七籤、一牛一馬两行程、到此乾宫月未明、借問故鄉何處是、雲𢒼天外有鷄鳴、 無方、

第八籤、須服葯、匆惱心、我神助、病不侵、

茯苓 陳皮 半夏 砂仁 白朮 人參各弍𢎥 甘草五分 神曲 木香

香附各壹戔 生姜叁片 水煎服三劑、

第九籤、汝服我藥、須記我功、勿效鄙輩、了事便忘、

陳皮、半夏、連肉、黃連、黃芩、知母、白芍、白朮各弍戔 石羔壹戔半

甘草五分 丁香拾个 生姜五片 水煎服三劑、

第拾籤、氣虛血少、陰敗陽衰、若不峻補、立見垂危、

麥芽、神曲、陳皮、肉桂各五戔 吳茱萸、蒼朮各壹両 右末糊煎、亦可、

痞滿第一籤、氣滞血凝、脾虛胃弱、消化樞機、难乎活潑、

木香、只實、砂仁、香附各七分 白朮 茯苓 烏藥各壹戔 白豆蔻

霍香、厚朴各捌分 甘草叁分 生姜叁片 棗壹枚 水煎、食後服三劑、

第二籤、我亦有册人不信、心無定主汝猜疑、深思回憶前年事、

再造乾坤知不知、　無方、

第三籤、開胃健脾、進食良醫、神功聖力、人只一時、

只實、半夏、陳皮、厚朴、白朮 各壹戔 猪苓、澤泻、乾姜、砂仁各五分

神曲四分 甘草炙弍分　水煎温服三劑、

第四籤、血為榮氣為衛、壅塞不通反成痞、吾今用藥急疏通、只

恐久來成結秘、　陳皮、青皮、赤苓、赤芍、香附、只殼 各壹戔

梔子、黄連、厚朴、蘇子、各捌分 神曲七分 甘草四分 生姜五片 煎熱服三劑、

第五籤、内傷傷食、外感感風、壹早療治、久亦死亡、

陳皮、半夏、山查、去白、皮 各弍戔 木香、砂仁、甘草 各捌分 只實 壹戔

黄連六分 白茯苓 叁戔　生姜五片　水煎温服二劑再禱、

活世良方上　痞滿　二十六

第六籤、須問尔心、勿煩我藥、天罰所加、最难料得、　無方、

第七籤、邪入脾宫、擾害不通、誤於調治、其象大凶、

白朮炒黒叁月　蒼朮、陳皮、只寔、黄連各壹月　人参、木香各五分

共為末糊丸如桐子大、每服五十丸、米湯送下、

第八籤、無葯可医、鄉相声、有縁方覚、聖神門、汝家何不知全化、

救汝回生、執記恩、　無方、

第九籤、凶星照、大限臨、冤報至、鬼祟侵、些夢泣、彼呻吟、

黄連　黄芩各六戋　只實五戋　半、夏、陳皮、厚朴各四戋　猪、苓、澤、泻

乾姜、神曲、甘草各弍戋　姜黄弍月　白朮壹月　砂仁叁戋　人参四戋、

右散末糊丸每服五十丸、煎湯亦可、

第拾籤、藥力不猛、厥痞不通、元氣未復、其病雜攻、

陳皮 青皮 三棱 莪朮 神曲 麥牙 香附 各等分 為末糊丸如梧子大、每服三十丸、清茶送下、煎湯亦可、

鼓脹第一籤、孽重障深、限中運蹇、不入聖门、膏肓難免、

蒼朮 白朮 陳皮 厚朴 只寔 各壹錢 砂仁 香附 猪苓 澤洤 赤苓 各壹錢半 大腹皮 捌分 木香 五分 生姜 五片 灯心 弍子 水煎服 氣急磨沉香三分同服 二剤再禱、

第二籤、急救急救、勿遲勿遲、貧而病重、又是垂危、

厚朴 壹两 附製 七分 木香 叁錢 生姜 七片 棗 弍枚 水煎服一剤再禱、

第三籤、聖藥如此如此、天意未然未然、急向壇前誦禱、莫謂家中無錢、

山查 壹两 白朮 神曲 半夏 赤苓 各五錢 陳皮 連翹 萊菔子 各弍錢

生姜七片 燈心弍子 水煎温服二剂、

第四籤、白雲孤鶩两悠悠回首枌鄉肚裡愁、江上清風山上月、馬蹄萬里駕輕騎、 無方、

第五籤、一虎食双豬、声声叫疾徐、可憐孤独子、悉慕在穷廬

三棱 莪朮 青皮 梹榔 吴茱 乾姜各弍戋 赤芍 胡淑 石昌蒲各壹戋 附子製叁分 生姜五片 燈心弍子 水煎温服三剂、

第六籤、東南水道塞、西地地脉傷、所居則移体、妙藥療無方、無方、

第七籤、飄流江上木、回頭顧不得、上下不疏通、中間成閉塞、

蒼朮 香附 只壳 霍香 山查 麥芽 神曲各壹戋 陳皮 半夏 茯苓 砂仁各捌分 甘草炙五分 生姜七片 燈心弍子 水煎温服、

第八籤、汝病到底、汝心如何、隨其所適、生耶死耶、問善主、起尒沉痾、

盐硝、甘拋皮、官桂、烏竜尾、茴香、澤瀉、木通各弍戔 謝香炊許 當水煎湯服

第九籤、庸師俗医、談説是非、不在心肝肺、則在腎共脾、

人参、白朮、茯苓、當帰、白芍、川芎各壹戔 蘇梗、陳皮、厚朴、大腹皮

木通、蘿蔔子、海金砂各捌分 甘草叁分 生姜叁片 水煎磨木香調服二劑、

第拾籤、無方無藥、何以療疾、不知不識、甚為痴呆、我有金丹、汝無陰福、若信誣師、其死甚速、 無方、

水腫第一籤、由氣化水、得寒則閉、非賴神功、必至危矣、

蒼朮、白朮、厚朴、茯苓、猪苓、澤瀉、香附、砂仁各壹戔 羌活、陳皮

大腹皮、木香各七分 生姜叁片 灯心叁子 水煎磨木香調服三劑

第二籤、水土未平禹功未成不順疏導、芳必脹澎、

蒼朮壹錢半 陳皮壹錢 厚朴捌分 猪苓 赤苓 澤瀉 白朮各壹錢

大腹皮六分 神曲、甘草各叁分 生姜叁片 山查 砂仁 香附 檳榔各七分

木瓜壹錢 燈心弍子 水煎溫服三劑、

第三籤、汝心無主、汝病不痊、汝家不化、汝報猶纏、

猪、苓澤、瀉白朮、茯苓、官桂各壹錢 亭藶 木通 木香 滑石各捌分

甘草叁分 生姜七片 燈心弍子 水煎溫服四劑、

第四籤、水不畏土、泛溢皮膚、我用妙藥、順下而流、

用八味、倍茯苓、澤、左加牛、必車、前 服三劑、

第五籤、五金諸類者、誤用伏聖神、但看家中物、不義等浮雲、

木通　甘拋　塩消　烏竜尾各壹匁　水煎服後以甘槺一口送之、

第六籤、泛泛江頭水、飄飄天外雲、不知身内病、忍作路旁人、

五加皮切片　萼眼炒黄　水煮代茶常服、

第七籤、分消水勢、用五加皮、分消障报、用幾家貲

地骨皮　生姜皮　五加皮　大腹皮　茯苓皮　姜黄　木瓜平分

燈心叁子　水煎服五六剂、必食塩鹹、戒食魚鱉腥膻之物、

第八籤、人中共缺盆、平満死何言、此方亦暫救、稍減可専門、

黒丑壹匁　塩消壹匁　水煎服以甘槺一口送之、忌塩鹹、

第九籤、回頭不及早、失足已經遲、我用何足惜、只恐汝多欺、　無方

第拾籤、察汝身家、知汝疾病、三宝人来、欲奪汝命、

陳皮壹戔半 木香弍戔 滑石六戔 檳榔叁分 猪苓、白朮 澤瀉、桂心各五分 茯苓壹戔 甘草弍分 生姜五片 燈心弍子 水煎溫服二劑、

積聚第一籤、血凝氣滯、不通則閉、愈日愈深、成癥瘕痞、

當歸 白朮 半夏 陳皮 山查 香附 厚朴 砂仁 木香各壹戔 青皮叁戔 生姜七片 水煎磨木香同服三劑、

第二籤、家貧病重、葯淺病深、莫嫌痼疾、只恐他心、

鬱金 香附各壹两炒黄 甘草五分 共散末姜汁糊丸如梧子每服七丸、生姜七片 紫蘇煎湯送下、

第三籤、聚則奔豚、積則痞滯、不破不攻、至危至死、

三棱 莪朮各四戔 青皮 陳皮 桔梗 霍香 香附 益智各弍戔 肉桂壹戔

甘草五分　蘇木叁戋　生姜叁片　棗弍枚　水煎服三剂、

第四籤、我身則有，汝善則無，欲速不達，枉我工夫、

陳皮、莪朮、青皮、三棱、乾姜、良姜各壹両　香附弍両　右末姜汁好醋為丸如梧子大，每服五十丸，姜湯下，食前服、

第五籤、血寒既凝，日久成塊，氣化不行，痰積為害、

大黃壹両醋浸炒黃　木鱉子叁戋　穿山甲七九个　香附叁戋　桃仁叁戋　紅花壹戋　青黛弍分　右為末糊丸如豆大，每服五十丸，茅根、葛根煎湯送下、

第六籤、走旁無生地，頻另不透天，有過稚悍改，終身病苦纏，惟發誓願心，百日來再賜、　無方、

第七籤、葯雖神效心不主張、糊闻乱咱、未或不亡、

白朮 半夏 陳皮 山查 香、附 各弍戔 川芎 壹戔五分 白、苓 令为、尾 各叁戔

只實 義朮 各壹戔 桃仁 拾粒 紅、花 甘草 各捌分 生姜 叁片 水煎温服三剤、

第八籤、非補共攻、病必終凶、由氣共血、易於汚結、

・黄、芩 白朮 各壹戔半 人参 白、苓 各壹戔 陳、皮 半、夏 各七分 山、查 柴、胡

各五分 當务 壹戔 孠、朴 只壳 各捌分 甘草 五分 生姜 叁片 棗 弍枚

水煎温服共保安丸間服在後、 五剤、

第九籤、積之在下、猛葯攻破、信服保安、可免大禍、

保安丸、 大黄 叁両酒浸一宿炒 乾姜 壹両 大附子 半両 鱉甲 醋炙黄色 壹両五戔

共為末陳米醋一升煑去四分和葯為丸如梧子、每服二十九、米泔

下取積如魚腸爛泥、

第拾籤、疾病猶生、心神半死、仙聖無方、垂憐救尔、虔申血表、贖命求生、再来我許、 無方、

黄疸第一籤、 湿熱不散、久成黄疸、果信神方、幸亦脱難、

姜活、独活、防風、藁本、柴胡 各弍戔 白苓 弍戔 澤泄、猪苓 各四戔 神曲 六分 白朮 壹戔 人参 叁分 蒼朮、升麻 各壹戔 葛根 五分 黄栢、甘草 各弍分 熱服五剤

第二籤、滲湿清熱、開胃健脾、土衰水侮、鮮有不危、

猪苓、澤泄、蒼朮、白苓、陳皮、只實、黄連、黄芩、梔子、防巳、茵陳、木通、車前 各弍戔 生姜 叁片 水煎服、如飲食不進、不思、乃傷食也、加砂仁、麥芽、神曲 各叁戔 服三剤、

第三籤、精氣神三宝、慾火尽焦熬、况後天不足、重病入膏肓、

茵陳叁钱 白朮、赤苓、蒼朮各壹钱半 猪苓、泽泻、山梔各壹钱弍分 官桂弍分

活石壹钱弍分 甘草弍分 生姜叁片 燈心弍子 水煎服、如見稍退、連服三五剤、否則[illegible]、

第四籤、病在皮膚外、藥入胃腸中、服藥不減、口徒費聖神功、

黄芩、梔子、竜胆草、木通、茵陳各弍钱 活石叁钱 黄柏壹钱半

升麻五分 甘草捌分 燈心叁子 水煎温服三剤、

第五籤、故態不悛、成痼疾、深恩猶背、况微功、且回年請家師藥、

穷討重來奏聖宮、 無方、

第六籤、脾家為患、到底不痊、非陰修福、必致牵纏、 此方服三剤

蒼朮、白朮、陳皮各壹钱半 生姜三片 猪苓、泽泻、左山查各弍钱 厚朴、三棱

莪朮、青皮、半夏、黑丑、白丑 各弍戔 甘草八分 白苓、大腹皮、葶藶子、藿香 各叁戔

第七籤、家藏神仸器、病遇庸師、貪心是何益、誤用必垂危、

茵陳 弍両 附子 五戔 乾姜、炙草 各五戔 生姜 叁片 燈心 弍子

水煎服、稍減可加服四五劑而已、

第八籤、土色屬黄、為稟為倉、中州失守、轉運無常、

蒼朮、香附 各捌両 青皮 叁両 陳皮 四両 五灵脂 壹両 三棱、莪朮、

良姜 各壹両 厚朴 弍両 烏藥 四両 青礬 捌両 用百草霜同炒共

末、糊丸如梧子、每服五十九、米湯下、

第九籤、濕既為患、急散急消、若遲效日、世方必不瘳、

陳皮、白芍、神曲、麥牙、山查、石羔 各壹戔 白朮、蒼朮、白苓 各壹戔五分

霍香厚朴各七分 甘草叁分 燈心弍子 水煎服、 二劑再禱、

第拾籤、 湿熱猶存、藥湯勿緩、服我金丹、深恩何限、

蒼朮壹斤 陳皮半斤 厚朴、砂仁、草菓各壹兩 青礬四兩 香附壹斤

右青礬同香附炒過俱為末糊丸如梧子大空心酒下姜湯亦可、

補益第一籤、 當損有餘補不足挽回元氣復天真

人參、當歸、白芍、黄芪、麥門各弍錢 白朮、川芎壹錢半 白苓、熟地各叁錢

肉桂五分 甘草捌分 五味叁分 生姜五片 大棗弍枚 水煎溫服五劑、

第二籤、 氣血既衰必資藥餌、不惟病人老年亦美、

八珍湯、 即四君子湯合四物湯是也、 三劑多多益善、

第三籤、 陰衰陽盛、水竭火亢、用此丸藥、水制陽光、

六味地黄丸、加五味麥門 名八仙長壽丸、 煎丸皆可、

第四籤、食我藥料、記我恩情、全愈之後、背治勿崩、

生地半斤 山茱 山藥各四両 白苓 牡丹 澤瀉 各叁両 大附子壹両 肉桂叁分

煉蜜為丸如梧子大、每服五六十丸滾湯下

第五籤、五臟六腑、虚不受補、術正毀邪、仙丹何誤、

党參 黄芪各叁錢 當歸五錢 白朮四錢 升麻 柴胡各壹錢 陳皮弍錢

甘草五分 大棗叁枚 生姜叁片 右補中益氣湯、

第六籤、藥力不及、奚以補虚、家錢若吝、誰作医師、

鹿角霜 鹿角膠 栢子仁 兔絲子 懷生地各拾両 右為末先將

鹿角膠磁器內慢火化開 却將膠酒煮糊和藥丸如梧子每服五十丸、

第七籤、滋陰峻補、益水之源、不用熬煎、難逢命門、

人參、杞子、山藥、五味、天門、麥門、生地、熟地、各弍両

右共八味磁器熬成膏每服效驗久服面如童子、

第八籤、汝力既弱、我藥能強、汝心不正、我藥無方、 ○

第九籤、欲培腎氣、以延嗣續、須放家財、以沽好藥、

仙茅四両 淫羊藿 五加皮各四両 入無灰酒罈內三七日後取早晚飲一二杯

或八珍湯加杜仲、牛膝、木瓜、續斷 水煎服、

第拾籤、丸藥雖遲、補虛有力、汝學不知、仙方效寔、

當歸、川芎、白芍、熟地、兔絲子、肉蓯蓉、巴戟、益智、牛膝、杜仲、山藥、青鹽

大茴、山茱、杞子、川椒、甘草、乾姜、各等分為末蜜丸如梧子每服七八十丸、

虚劳第一籤、真隂既竭、相火刑金、况経咳嗽、痼疾已深、

生地、熟地、麥門、當皈、白芍、山藥、天门 各壹钱 牡丹 六分 甘草 叁分 白苓 白术、山茱 各壹钱 黄栢 知母、澤泻 各五分 生姜 五片 枣 弍枚 水煎温服、

痰盛加姜汁竹瀝同服三剂、

第二籤、自病生痰、非痰生病、不治其根、誤人性命、

黄芪、人参、當皈、白苓、白芍、連肉、山藥 各壹钱 炙草 叁分 陳皮 六分 白术 炒黑壹钱五分 生姜 叁片 枣 弍枚 煎服 痰盛加姜汁 嗽盛加五味 服五剂

第三籤、肺能運血、久咳則傷、若失調治、扁鵲無方、

天门、麥门、知母、貝母、欵冬花、杏仁 各弍钱 當皈身、生地、熟地、黄連、阿膠 各壹钱半 蒲黄、京墨、桔梗、泊荷 各壹钱 麝香 少許 共為末 蜜丸 每服 十丸

第四籤、虛劳傳染、深入膏肓、不知種福、枉我神方、 無方、

第五籤、火来爍肺、咳血必至、病已入深、葯力必費、

天門半斤 杏仁貝母百部百合 各四両 欵冬花 五両 紫苑 叁両 白苓 四両

水煎三次去渣入飴糖 捌両 百花 壹斤 阿膠 四両 再熬成膏每服三五匙、

第六籤、須種陰福、次専服葯、病重障深、分圖其速、

山葯蓮肉芡實揀参 各弍両 白朮 叁両米泔浸炒黑 白苓陳皮白芍 各壹両

炙草 五分 共為末密丸如梧子大每服百丸米湯送下、

第七籤、病臨四症、祖結双冤、相尋禍患、已幾年間、

當歸熟地人参地骨皮蓮肉 各四両 生地 弍斤 杞子 白芍 各壹斤

五味 壹両 麥門 五両 白朮 白苓 山葯 各五両 貝母 甘草 各叁両

薏苡捌月 琥珀壹月 水煎去渣又熬成膏每服三匙、

第八籤、藥非遠味美惡有殊若貪廉價飲何益乎

八味地黃湯、加麥门五味 五剤再禱、

第九籤、身中有病汝也已知、垓内有藥汝来何遲、

六味地黃丸、加麥门五味、牛必、杏仁貝母 三剤、

第拾籤、冤家障重病患根深、不知鮮結那免相纍何遽

求藥、先自問心、 無方

失血第一籤、肝経失宗熱血妄行、此方急救、可以希生、溺血便血竪血衄血咳血嗽血吐血咯血云云

家園土地黃北人呼為娄娄奶遥地有之俗常噲罗鼎纒納 取来洗搗汁一

鍾白童便半鍾二味合一重湯煑一沸溫服之效、

第二籤、鬱逆而升肺氣虛、久成勞咳最難除、勸君須把心身問、功過兩途幾欠餘
赤芍七分 黄、栢知、母麥門、牡丹玄、參犀、角山、梔各壹戔 阿膠五分 當歸弍戔 生地壹戔半 川芎五分
甘草叁分 水煎服如不思飲食加白朮壹戔 三劑、

第三籤、血不統攝、責肺脾經、吾今用藥、兼補瀉清、
天門麥門生、地牡、丹赤、芍梔、子黄、連山、藥山、茱澤左赤苓
甘草各壹戔 水煎入童便服二劑、

第四籤、救病如救火用藥如用兵、隨機而變應、死處更逢生、
人氣童便好酒、右三味等分重湯煮熱服之立愈、

第五籤、似火非火似痰非痰若失調治、變症多端、

當归、白芍、桃仁、貝母各壹戔 白术、牡丹、黄芩、梔子各五分 青皮 甘草各叁分 桔梗五分 水煎溫服一劑

第六籤 汝欲生耶、抑欲死耶、黄泉贖命、集福幾何、

當归 白芍 知母、麥門各壹戔 生地 貝母 天花各壹戔半 白苓捌分 桔梗壹分 甘草五分 水煎溫服三劑、

第七籤 誰其帶疾、不欲早痊、誰其為医、不欲取戔、人願如此、天理亦然、

天門壹斤 生地半斤 共為末煉 蜜丸如彈子大每服三丸日進三服、

第八籤 浮生若夢、幾為歡、苦趣牽纏總百端、忽聞鷄鳴岩下月、仙人九轉未成丹、 無方、

第九籤 肺氣不順、用葯潤之、逆痰未下、含丸化之、

天门壹𠄐 白茯苓 阿膠 杏仁 貝 甘草各五𢎥 右為末煉蜜為丸如芡實大 每服三丸 含化下

第拾籤 失血症非輕 久則入膏肓 禱神兼服藥 身体得清寧

當皈 生地 梔子 黄連 白芍 黄何 瞿麥 赤苓 木通 扁蓄 知母 甘草 麥門各壹𢎥 燈心弍子 生姜叁片 水煎空心服

眩暈第一籤 不是火虛 即是風 弍心了第一方 別行加減

陳皮 半夏 白苓各壹𢎥半 防風 姜活各七分 甘草叁分 只實壹𢎥 川芎 黄芩各捌分 白芷 細辛 南星姜汁浸各七分 生姜叁片 煎服二劑

第二籤 自元陽衰 用參附補 如先祖冤 立坛塲度

人參五𢎥 附子叁𢎥 熟地五𢎥 生姜拾片 水煎熱服二劑

第三籤 邪氣染人深、經年成病重、我垂賜金丹、此方亦暫用、

人參六分、白朮、白苓、陳皮、半夏各壹戔、天麻、梹榔、旋覆花各捌分、甘草四分、生姜叁片 水煎服三劑、

第四籤 平時失節、令日垂危、苟心無主、萬計難施、

南星、半夏、天麻、姜活、蒼朮、川芎、陳皮、白苓、桔梗、只殼、烏葯、黃芩、甘草各叁分、生姜叁片 煎溫服、痰盛加姜汁竹瀝同服三劑、

第五籤 如曰石今浮水上、出言驚異人交謗、鳴呼青眼未相逢、不如假作無知漢、 無方、

第六籤 豈應坐視死、垂手以相濟、各一月芎皈溫煎服一試、

川芎壹月 當歸壹月 水煎溫服二劑、

第七籤 用薬峻補、以復元氣、欲得延生、勿管其費、

十全大補湯 即八珍加黄芪、肉桂、共附子、 服三剤、

第八籤 卧病不起、生意無由、家神所悪、小故可憂、

半夏、橘紅、赤苓、石羔 各壹戔 黄芩、黄栢、黄連、川芎、知母 各十分

薄荷、甘草 各五分 生姜 叁片 水煎臨卧服、

第九籤、相火虚、元氣散、八味丸、服脱难、心不坚、命必殂、

八味丸 加蔓荆、白芷 多服、

第拾籤 大限照冲、重病未愈、脱彼小殤、遇斯大故、

補中益氣湯 加川芎、蔓荆子 三剤再禱、

麻木第一籤 手足得血、能握能行、風傷経絡、可解可清、

當芍叁戔 川芎、半夏、熟地、白芍 各弍戔 秦艽、續斷 各六分 白朮二戔
陳皮 捌分 白苓壹戔 桂枝、姜活、防風 各五分 炙草 叁分 生姜 壹片
棗 壹枚 水煎食遠服五剂、

第二籤 久不医、成癱瘓、血流通、風鮮散、惟天刑、难逃难
黃芪、人參、白朮、陳皮、當芍 各壹戔 升、麻、柴、胡、木、香、香附、青皮
川芎 各柒分 桂枝、甘草 各叁分 生姜 叁片 棗 弍枚 煎服三五剂、

第三籤 生血活血、四物為君、救苦救难、五祀家神、
川芎、當歸、白芍、生地、陳皮、半夏、白苓、白芥 各壹戔 桃仁 捌分
紅花、甘草 各叁分 生姜 拾片 水煎入姜汁竹瀝少許同服三剂、

第四籤 風寒凝滯、患在皮膚、不早医治、痼疾不瘳、

人参、黄芪、白朮、當为各壹錢半 升麻、柴胡各壹錢 陳皮、桂枝
姜活、防風各七分 烏葯六分 甘草叁分 生姜五片 水煎温服五劑、

第五籤、麻木共不仁久必致半身、汝欲早痊愈、須誠禱于神、
紫蘇、陳皮、香附、台烏、川芎、蒼朮、姜活、南星、半夏、當为各捌分
桂枝四分 甘草叁分 生姜叁片 水煎入姜汁竹瀝同服三劑、

第六籤 汝之病患雖氣血生、汝之運命、阨限流行、
黄芪、橘皮、甘草各壹錢 澤瀉五錢 白芍壹錢半 煎温服二劑再禱、

第七籤 皮膚毛孔、氣血衛榮、邪風湿毒壅塞神經
黄芪蜜炙壹錢 人參五錢 附子製叁錢 當为叁錢 白芍五錢 共為
末蜜丸如梧子大每服五七十丸以生川烏、白朮、白芷各叁錢

甘草弍戔 煎湯送下 外塗用辛夷、桂枝、茴香、細辛、川椒、和姜汁共酒塗之則可、又外用重被盖之、出汗通身、

第八籤 汝多迷信、成不治症、我亦無方、何以效用、 無方

第九籤 病共命隨、限重病危、不死成痰、亦不可知、

黄芪捌分 人参 甘草各五戔 白芍叁戔 柴胡壹戔半 升麻弍戔 五味百四十粒 水煎稍熱空心服、 二劑再禱、

第拾籤 驅風涼血、可望成功、若徒懇禱、藥餌不通

當歸 生地各壹戔半 黄連 黄芩 白芍 川芎各壹戔 天麻 姜活 防風 荆芥各捌分 細辛六分 甘草五分 煎服 麻甚加川烏炮三分 服三劑、

癲狂第一籤 重陰又重陽、病必發顛狂、誠心服吾藥、命不致危亡、

當歸叁戋 防風川芎白芍連、翹萡、荷麻、黄大黄朴、硝各四分

石羔桔、梗黄、芩各捌分白、朮梔、子荆、芥各叁分滑石弍戋四分

甘草壹戋 桃仁 生地各五分 煎服五剤

第二籤 身如附鬼、心似乱麻且禱且薬、以解内邪、

人參白、朮白、苓遠、志棗、仁川、芎生、地石昌、蒲各壹戋 當帰

麥門各壹戋半 甘草五分 水煎調神、砂壹戋服三五剤、

第三籤 乱動心中似火紅、皆由相火妄薰冲、

當歸白芍白、朮白、苓生地柴、胡遠、志桃、仁蘇木 紅花甘、草各

壹戋 生姜拾片 棗弍枚 煎服三剤、

第四籤 人情如此、天罰難逃、欲尋生路、善地非遥、

人參壹兩 神砂壹兩 乳香五錢 酸棗仁炒五錢 右為末蜜丸如彈子每服三丸。薄荷湯化下。

第五籤 氣鬱不觧。心火上攻。日昌月熾。其病終凶。

白礬弍兩 川鬱金柒兩 右為末糊丸每服五十丸温水送下。

第六籤 禱爲來何晚。受病难觧。痊盡畋爭别法。莫致我劳煩。無方

第七籤 叮嚀囑咐為告家人。欲求全活。以財發身。

大黃四兩酒蒸 黃芩四兩 青礞石五錢 沉香壹錢半 牙皂五錢 犀角五錢 原寸五分 硃砂五分 共為末 糊丸每服四五十丸滚水送下。

第八籤 服之此丸。仔細覌看。减病可治。增病則难。

硃砂弍錢半 雄黃壹錢半 白附子壹錢 散末以猪心血為丸如梧

子大硃砂為衣每服三丸以人參石昌蒲煎湯送下。

第九籤 水虧則火熾愈日愈升騰若藥不及病神功亦何能。後須分君臣佐使用者庶不致誤。

六味丸加遠志石昌蒲人參白苓當歸酸棗仁共十二味生姜五片煎服

第拾籤 藥不瞑眩病不瘳無錢可買復何求要宜炮製存真性以人治人理不誣。

紫河車壹具長流水洗凈慢火焙乾為末煉蜜為丸空心酒送下。

癎症第一籤 難甚難甚危哉危哉聊服吾藥如何再來。

生地姜汁炒五錢 橘紅貝母白苓黃連遠志石昌蒲棗仁只寔瓜娄天花粉各壹錢甘草五分生姜叁片煎服三劑。

第二籤　驚痼幾經年。從来治不痊。皆由冤障重。禁死根律遣。

南星。半夏。陳皮。白苓。伙麥。只實。桔梗。山梔。黃芩各壹戔　黃連。甘草各壹戔　木香。神砂。各五分　生姜叁斤　水煎。磨木香。神砂。入姜汁。竹瀝。服三劑

第三籤　水火橫災最可驚。深深障報受天刑。神仙有葯难医治。只為家中未一誠。　無方

第四籤　病深葯淺欲速不痊。近則数月。遠則半年。

當歸。白芍。白苓。陳皮。半夏。只寔。竹茹。石昌蒲。黃連。香附。各壹戔　麥門。川芎。人參。甘草。遠志。各等分　生姜五斤　煎服五劑。

第五籤　疾痼疾痼用葯無補。三七六三不葯自愈。　無方

第六籤　用葯雖少。取效甚多。一劑未愈再服可加。

活世良方上　痼症　四十一

白礬壹両半生半枯 荆芥穗壹両 為末糊丸如黍米大硃砂為衣。每服二十丸姜湯送下。

第七籤 胆氣不足。動輒生驚。葯不到處。不日復生。

硃砂 青蒙石 犀角 皂角各五戋 大黄 黄芩各四両 沉香弍戋半 射香五分 右為末水丸如梧子大硃砂為衣每服七十丸溫水下。

第八籤 業障未消。業死難逃。逢牛共馬。洗盡塵囂。

犀角弍両 虎睛壹封 大黄壹両 梔子五分 遠志壹戋 右為細末煉蜜為丸如豆大每服二十丸食後溫酒下。

第九籤 服了此方。再禱本堂。密禱葯王。覆察其詳。

茯苓 南星 陳皮各壹戋 瓜蔞 只實 桔梗 梔子 半夏 黄芩各壹戋

甘草叁分　木香、神砂各五分　生姜叁片　水煎臨服入姜汁竹瀝摩

木香調服神砂同服　二剤。

第拾籤　只哨糊言、東走西奔、費幾財力、大病猶存。

明亮硃砂五戔用豬心一个剖開入砂于內慢火炙熟取砂入爲存豬心令病人食　南星姜浸弍月　巴豆壹戔去油

竜胆草弍月。共為末糊丸如梧子大、每服十五丸姜湯送下。

驚悸第一籤　坎離不交、天地大否、神不守舍、必生驚悸

當歸　白茯神　生地各壹戔半　白芍、白朮、麥門、黃連各壹戔　川芎、遠志

棗仁各捌分　元參五戔　甘草叁分　水煎溫服三剤。

第二籤　虛火發熱、共君火挾、若遇時師、亦难問切。

當歸　川芎各壹戔　貝母壹月　生地壹月半　麥门、棗仁、白芍、陳皮各壹月

白茯神七分 黄連五錢 硃砂壹両 共為末蜜丸如豆大每服五十丸

第三籤 樹欲静風不停肝得養熱难生服吾藥須竭誠再生德心長錄

當另白茯神各壹錢弍分 黄連生地麥門棗仁遠志人參黄芪胆星各壹錢 淡竹葉壹錢 甘草六分 生姜叁片 棗弍枚 煎服三剤

第四籤 心不正内生邪用藥調治符扛枷陰陽相濟有何难耶

南星末五両 川連末壹両半 人參遠志各壹両半 神砂琥珀各壹錢半 棗仁末壹両 右用雄豬心血三个入竹瀝打糊丸如梧子大金箔為衣每服五十丸白湯送下 末磨也

第五籤 為人不良其誰無惡生指及名死指及墓 無方

第六籤 一滴清凉水火坑化蓮臺心念弥陀佚消滅尽諸灾

當歸、白芍、生地、黃連、遠志、麥門 各壹錢 片、芩、梔子、棗仁、炒川芎 各捌分 甘草 弍錢弍分 生姜 叁片 水煎服三劑。

第七籤 天君無主、日夜驚惶、乘虛突入、邪祟為殃。

硃砂 五錢 當歸 弍錢半 生地 壹錢半 黃連 六錢 甘草 弍錢叁分 人參、白术、茯神、棗仁、麥門 各壹錢半 共為末蜜丸如黍米大每服五十丸米湯送下。

第八籤 前態未償、終身不愈、欲斷病根、勿守財虜。

當歸、茯神、白芍、熟地、黃連、人參、白术、神砂、竹茹、棗仁、麥門 梔子 各壹錢 烏梅 壹个 水煎服 三劑。

第九籤 元神失守、必生恐怖、信服金丹、吉神呵護。

人參、白苓、遠志、石昌蒲、棗仁、黄連、栢子仁各弍月 當歸捌戔

木香四月 硃砂壹月弍戔一半入藥一半為衣 共為末，蜜丸如豆菓大，麥門去心

煎湯下五六十丸。

第拾籤 造罪不覺，受病無知，加培陰福，可獲生機。

人參、當歸身各五戔 猪腰子壹封 先以腰子用水二碗煑至一碗

半，將腰子細切，入二味同煎至八分，吃腰子，以藥汁送之。

遺精第一籤 腎氣不固，遺脱夢精，先天受病，後日身傾。

黄連六分 生地、當歸各叁戔 人參弍戔 白茯神叁戔 棗仁壹戔半

石連肉壹戔 甘草捌分 水煎，加麥門去心，尤妙。三劑

第二籤 人身半為鬼，家内大興妖，不早修陰騭，何以繼宗祧。

人参、蓮鬚、各弍戔 石蓮肉、遠志各壹戔 芡實、白茯神各叁戔 麥冬弍戔 甘草捌分 水煎温服 三剂。

第三籤 相火妄動，心腎不交，葯非峻補，元氣日耗。
人参、巴戟各叁戔 黄芪、甘草各壹戔半 白芍、白朮、白茯神、當歸、麥冬、益智、棗仁、山葯、澤瀉、黄芩、知母、蓮花蕊各壹戔 黄栢、黄連各柒分 升麻、五味各五分 分作二剂，煎服。

第四籤 南柯一夢，長幻境盡虚，可憐，當少壯一旦日斜陽。
黄栢、知母各壹両 牡礪、竜骨、芡寔、蓮蕋、白茯、茯苓、遠志、山茱各叁両 共為末，煮山葯糊為丸，如梧桐子大，硃砂為衣，每服五十丸，米湯送下。

第五籤 夫婦和家道成，氣血調，子嗣生，夫宜此以固氣，妻宜四物以調經。

人參白朮白苓當歸川芎白芍熟地杞子杜仲牛膝天冬麥冬破固遠志牡蠣竜骨金櫻蓮蕋炙草各等分　共為末糊丸如梧子大每服五十丸空心酒下。

第六籤　一劑若未痊三五劑必全愈元氣既虚耗非力爲不補。
人參白茯神遠志栢子仁酸棗仁石菖蒲各壹兩竜骨牡蠣各壹兩半
神砂五錢　共為末蜜丸如碑子大每服三丸棗湯下。

第七籤　汝服此册以治其急後再禱之仙方又立。
石蓮肉六兩甘草壹兩　共為末每服二錢食前服灯心湯下。

第八籤　相火内亢真精外散投入善门生機可榦。
牡蠣砂鍋内煆醋淬七次為末糊丸如桐子大每服五十丸塩湯下。

第九籤 精生氣 氣生神真修之外更無真只緣慾火多消爍枉受人間不孝身

蓮鬚壹斤 石蓮肉壹 芡實十二月 麥冬四月 用公猪肚壹个 加入蓮肉帶心皮壹斤 八砂鍋內水燉爛去肚將蓮肉晒乾同前藥密丸如桐子大每服百丸蓮鬚煮湯下

第拾籤 我惱怒汝速去勿遲延立打死 無方

諸淋症第一籤 熱積在膀胱用藥以清凉使由氣化水必清利且長

大黄 滑石 車前 各壹戔 瞿麥 木通 扁蓄 梔子 各弍戔 甘草 捌分 燈心弍子 水煎空心服三劑

第二籤 引導官失令淋瀝病常生苟用庸師藥愈開愈閉經

當歸弍戔 雄黄壹戔 牛必 海金砂各叁戔 木香 捌分 大黄 叁戔

右為末每服弍戋臨卧酒調服。

第三籤　腎氣既弱氣化不行日久結核難以延生。

當歸　黄栢　知母各弍戋　生地　熟地　黄芩　木通　桑白皮各叁戋

黄連捌分　水煎空心服二剤。

第四籤　枉我金方賜汝俗子如欲再求卜珓為主。　無方

第五籤　心無片善念身受百般傷徒勞我下葯壽命亦短亡。

當歸　白芍　陳皮　半夏　牛膝各弍戋　川芎　黄栢　知母　蒼朮　白朮各壹戋半　熟地　白茯苓各叁戋　甘草捌分　升麻叁分　柴胡五分　水煎露一宿空心服

第六籤　汝有病今禱聖欲愈乎敬敬敬。

人參　白苓　蓮鬚　巴戟　升麻　益智　黄栢各弍戋　山葯　澤左各壹戋半

甘草叁分　水煎空心温服三劑。

第七籤　病雖小，身亦危，無後業，近懸眉。

生地韭汁擣膏　木通　黄芩　右為末，密丸如桐子大，每服三十丸，木通煎湯送下。

第八籤　須飲聖藥，且讀聖經，限厄可免，水土平成。

補中益氣湯　參芪歸朮升柴陳甘　服三劑。

第九籤　疏通水道，使各循經，兼用外法，以泄其清。

四君子湯　加豬苓叁錢　澤泻　木通各貳錢　連進二服，又以兔絲子研極細，用鵝翎管吹入小便孔内，極效。四君湯人參　白朮各五錢　苓草二錢

第十籤　不補水，無化氣，不勤藥，病危矣。

六味地黄丸　倍茯苓、泽泻。如小便頻数不禁，去泽泻，加益智仁。

六味湯　熟地五錢　茯苓叁錢　山药弍錢　山茱　牡丹各弍錢　泽泻壹錢

闕格第一籤　上下不通，即成喘呃，水火離経，壽期促迫。

先用生姜自然汁一杯飲之，次用皂角半下來吹鼻孔肛門，若不必滅別乞他方。

第二籤　無方　嗚呼無常变，誰能逆料之？遇寅申巳亥刑冲短壽期。

第三籤　平日不修，臨危誰救？有聖飯頭，無門可禱。

只實叁錢　砂仁　香附各弍錢　白苓　貝母　陳皮　蘇子　瓜蔞　厚朴　川芎各壹錢　木香　沉香各五分　甘草叁分　生姜叁片　煎，入竹瀝磨沉木香同服。

第四籤　脹呃將來，危亡立至，急則希生，遲則不治。

甘遂五戔散末水調敷臍下内以甘草節煎湯飲之及葯汁至臍二葯相反胞自轉矣小水来如湧泉此救急之良訣也、

第五籤　不治之症惟望残喘欲贖人命恨不多戔虔申血表虔建斎筵心存勉強算尽黄泉、

用竹瀝小杯姜汁小杯合磨沉香木香飲之、

第六籤　病須太急葯禱何遲名師在迩盍勿迎之、　無方

第七籤　汝宜去我不賜生自生死自死、　無方

第八籤　一次二三次無方又無方一命二三命重服又重喪、　無方

第九籤　冤家重殺两相随甲乙支連又丙支禍離幾回労法主、至人ノ償命正臨期、　無方

第拾籤　雖無方、可急救生、福存、死福少、

用吳茱壹月丁香壹戔車前壹月、不通壹戔生姜湯煎温服減再服、

二便閉第一籤　二便閉結甚難医、急炒塩來塞滿臍、蒜片覆塩堆

艾熨利便良方少人知、

第二籤　小閉治小、大閉治大、大小俱閉、兼用得利、

大黄六戔　活石叁戔　皂角五戔　共為細末温酒送下、治大便不通

或小便不通大黄叁戔　活石六戔　皂角五戔　或大小俱不通黄、石平均

皂角亦如前服之、

第三籤　虎狼之症、犯入冊田、若提逆上、發呃發喘、　無方

第四籤　惡運臨頭、凶星照命、急救無方、何須禱聖、　無方

用蝸牛叁枚去壳搗如泥加麝香少許納臍中以手揉案之立通或用田螺亦可、

第五籤　病至危矣可視常乎須刻斃命吾言不誣、

瓜蒂五戔 川烏 草烏 白芷 牙皂 細辛 各叁戔 胡椒 壹戔 麝香 少許

右為細末用小竹筒將藥少許吹入肚中即通、

第六籤　氣不化水疏導何為陽亢陰竭病最難医、

猪牙皂角末猪胆汁調竹管吹入糞门文以冬葵子 壹味 煎服立通、

第七籤　藥方有藥味無遇貨假何益乎既服藥兼飲符命若活疾必瘳、

甘遂 五分 煨熟為末入麝香 三厘 用飯為丸淡姜湯下立通

第八籖 前方若不效，後劑可施行，只恐牛逢虎，無處可逃生，

生姜半斤 葱白一大茎 塩一撚 豆鼓叁拾粒 右擣爛安臍中，須洪熱臍中，以帛扎定，良久氣透即通。

又方用蜂蜜一鍾，八皮硝弍戔，滾湯一茶鍾化下。

第九籖 水道流東北，不開成閉塞，祖墓庚酉方，誰其敢穿鑿。

當歸尾 桃仁一戔半 生地 熟地各弍戔 大黄 升麻 火麻仁各一戔 紅花 甘草各五分 水煎去渣，調檳榔弍戔，稍温服。

第拾籖 幾度臨危，功德無爲，今日遇窘，心尚多欺，苟不懺悔，死也無疑。

大黄 皮硝 牙皂各等分 水煎一服立效。

又方大黄末叁戔 皮硝五戔 用好酒燒一碗泡化服之立通。

痔漏第一籤　葯力雖神、存乎其人、若失調治、亦損其身、

黃連、黃芩、赤芍、只殼、黃栢、槐花各壹戔　連翹、大黃、苦參各壹戔半　水煎服

第二籤　濕熱亦生虫、穿漏穀道中、經年成不治、欲速必成功、

當歸、生地、黃芩、知母、連翹、荊芥各壹戔　芍、葯、槐角、皂角子、皂角、刺、天花粉各弍戔　黃連壹戔半　升麻五分　黃芪、人參、甘草各壹戔

水煎熱服、遠酒色則全愈、

第三籤　由血肉生、為腸中蠹、若怕損錢、此疾不愈、

蓮蕊、黑丑各壹两　錦文大黃壹两半生半熟　當歸、五倍子、黃連、乳香、沒葯各五戔　礬紅四戔　共為末、糊丸如豆大、每服数十丸、

第四籤　汝病雖可怪、汝景亦堪憐、茍半途中止、聖葯不全痊、

蝟皮壹両酒浸炙乾 當歸 槐角 黄連 地骨皮 炙草各弍両 乳香弍戔

桃核叁拾六个 共為末糊丸如梧子大每服二十五丸白湯送下、

第五籤

汝有家師何不請、到底頻頻来禱聖、吾今教汝暫回頭、悔過持經并贖命、 無方

第六籤

病雖在外、原出于中、汝服我葯、汝記我功、

黄連叁両 烏枚三十个 大黄叁戔 穿山甲叁戔 水煎空心温服

第七籤

悪疾可驚、天譴非輕、不還其願、不免其刑、

川芎壹戔半 白芷 只壳 羌活各壹戔 赤芍 阿膠 木通 大黄各弍戔 生地 茯神 白苓各叁戔 五灵脂壹戔 桃仁十粒 甘草捌分 生姜叁片 密叁題 水煎食前服以利為度、

第八籤　色欲不戒，摠湿為害，日久虫多，蝕侵腸内，
黄連四月　只壳弍月　防风　當归各四月　共為末，糊丸如梧桐大，每服七八十丸，空心米湯下，或沸湯下亦可，忌食羊鷄魚腥之物，

第九籤　癔痛苦之極，外人誰識得，汝若早安痊，勿負我功德，
六味地黄丸　加赤苓、破固紙、没葯　煎服三剤再禱，

第拾籤　初起盡明言，用葯絶虫根，只緣多孽報，曾是受寃魂，
五倍子叁月　乳香、没葯、孩兒茶各壹戔　白礬枯五分　右為細末，以竹管吹入漏瘡口内，如穀道中虫痒不止，用水銀五戔、枣糕弍月，同研相和，撚如枣膏狀，箬綿庄裹紬入肛门，明日虫出，若痛者可皆各分作丸，

活世良方上　痔漏　五十

心胃痛第一籤　飲食不戒口、凝滯成胸飽、善於和解方、順氣為至宝、

山楂仁弍錢炒黑　乾姜壹錢　川、芎黃、連香、附各壹錢　只殼壹錢半

蒼朮七分　厚朴壹錢　陳皮五分　甘草叁分　生姜叁片　水煎熱服、服

後戒飲食太半日再服一劑如痛甚加姜汁二三題入藥同服、

第二籤　疎肝且瀉心、火邪安得侵、此冊無全愈、再劑復眞陰、

柴、胡黃、芩赤、芍厚、朴只、寔梔子、黃連、半、夏青、皮各壹錢

大黃、朴、硝甘、草各叁分　生姜叁片　水煎熱服三劑再禱、

第三籤　吳茱與黃連、混炒各五錢、梔子三錢許、炒黑又同煎、

第四籤　寒邪入心胃、不驅必入裡、尽信吾金冊、須叩壇前誓、

丁香良姜官桂各壹錢半　右剉一劑水一碗煎七分用胡椒五十

粒炒為末調入藥内頻服。

第五籤　若痛真善痛，況吟又況吟，容顔半為鬼，剛日怕庚壬。

黃連六錢　附子製壹錢　生姜叁片　棗弍枚　水煎熱服

第六籤　善心不修，善門勿至，觸怒神明，不治不治。　無方

第七籤　望彼東隣兮誰穿鑿，看尔祖墳兮則覚，坦竜脉兮蘇木飯，糊救危命兮官桂草芍

官桂壹錢半　白芍弍錢　甘草五分　煎服如腹痛不止加大黃只朮五分　立效。

第八籤　邪風毒氣侵痛胃且攻心，一日不医治長年苦呻吟。

川芎　乾姜　蒼朮　梔子　半夏　茯苓各壹錢　甘草五分　陳皮壹錢弍分

生姜五片　水煎正痛良温服，痛止待半日方可飲食。　三劑

第九籤　凶星冲照家運不好不遇殤亡必多煩惱。

只是砂仁半夏陳皮香附各弍錢　木香草豆蔻乾姜各五分　厚朴茴香各捌分　甘草叁分　生姜叁片　水煎入竹瀝磨木香同服二劑。

第拾籤　病非積共滞只因時共氣不遇此金丹有良生衰痞。

川芎當歸陳皮白苓砂仁官桂玄胡各弍錢　丁香五分　三棱壹錢半　檳榔弍錢　甘草五分　水煎温服二劑

腹痛第一籤　日白長呻吟更深多反側嗟彼病人兮多爲愚者惑。

蒼朮香附白芷川芎白苓滑石山梔神曲各壹錢　陳皮乾姜各五分　甘草弍分　水煎温服二劑。

第二籤　嗟斯人兮而有斯疾吾藥妙無双安心恐不一。

乾姜、肉桂、良姜各七分　只壳、陳皮、砂仁、厚朴、吴茱各壹钱　香附壹钱半　木香五分　甘草弍分　生姜叁片　煎服，痛不止，加玄胡、茴香、乳香，服三剂。

第三籤　花顔对鏡憐憔悴，月影當空忽晦冥。一問病情驚未斷，餓闻行客笑鷄鳴。　無方

第四籤　夜長吟蟋蟀，声声惱客心。仙人来扶起，銅雀鎖春深。

黄連、白芍、梔子、只壳、厚朴、香附、川芎各壹钱　木香、茴香、砂仁各五分　甘草叁分　生姜五片　水煎服，痛甚不止，加玄胡。三剂。

第五籤　污須洗濯，積可疏通。仙翁用葯，以理折衷。

只实、大黄、檳榔、厚朴各弍钱　甘草、木香各叁分　煎温服，一剂見利再禱。

第六籤　憐汝痛苦，經久不愈。障報牵纏，根深蒂固。

蒼朮、陳皮、香附、只寔、神曲、山查、各壹戔 厚朴 乾姜各捌分

甘草、木香、各弍分 生姜叁片 水煎温服二剤、

第七籤 先祖造業、子孫受殃、亦惟疾痾、恐遇喪殤、

良姜、官桂、益智、砂仁、木香、香附、厚朴、陳皮、茴香、當歸、甘草、玄胡

各等分 生姜叁片 水煎温服二剤、

第八籤 有身有苦、自病自知、曩日受罪、聖眼誰欺、先須悔禱、後可求医

歸尾、赤芍、牡丹、桃仁、玄胡、烏薬、香附、只殻、各壹戔 紅花、官桂、木香

各五分 川芎七分 甘草弍分、生姜叁片 水煎服二剤、

第九籤 勿粮禱、損香燭、勿医薬、害銀錢、集陰福、解前愆、後医疾可

安痊、

吴茱、益智、青皮、陳皮、泽左、當歸、乾姜、半夏、白芍

蒼朮各五分 木香草豆蔻各叁分 柴胡升麻各壹分 厚朴四分

水煎温服三劑 忌食生冷硬物

第拾籤 悲号声未斷 離別淚長流 病情無誰訴 冤家又聚頭

川芎熟地白芍當歸各壹錢 山枝柴胡牡丹各七分 生姜叁片 服四劑

頭痛第一籤 虛血上攻爲邪痛 風疏肝凉血聖藥收功

當歸川芎白芍生地黄芩香附各弍錢 防風蔓荆柴胡各壹錢

荆芥薄荷各壹錢 生姜五片 水煎温服三劑

第二籤

當歸川芎生地各壹錢 黄栢知母蔓荆子黄芩黄連梔子各等分每味壹錢 水煎温服三劑

第三籤　虛火上升。相火奔騰。医不得道。偏痛日增。

黄芪壹钱　人參。白朮。陳皮。半夏。當歸。川芎。藁本。甘草。各五分　升麻。黄栢。細辛。各壹分　生姜叁片　水煎服三劑。

第四籤　心中如火發。頭上似刀針。悩癰若变症。愈日愈深沉。

黄芪。人參。炙草。蒼朮。川芎各六分　升麻。陳皮。柴胡。黄栢　蔓荆子。各弍分　當歸六分　細辛弍分　水煎温服七劑。

第五籤　干剛日降。干柔日升。陰衰陽盛。六味可應。

六味黄地湯　加川芎　當歸　服三劑。

第六籤　熱不清。火不下。服此方。亦痊可。

川芎。荆芥穗各弍刃　薄荷。香附。各四刃　姜活。白芷各壹刃

炙草壹刃 防風七戔半 右爲細末每服弍戔 清茶調服。

第七籤 風入腦中掀火上攻，如穿如刺久日腦癰。

姜活 防風 半夏各弍戔 黄芩 甘草各壹戔 生姜叁片 水煎服三劑

第八籤 蒼朮升麻共薄荷，等分合煎荆穗花，清熱驅風如聖藥，

勸君頭上帶息波。 升麻 蒼朮 薄荷葉等分五戔 煎服五劑。

第九籤 頭上息波幾萬重，人心如許遠遺忘，縱教負了神前願，

水益深兮火益攻。 川芎 川烏 草烏 南星 半夏 白芷 石羔生用各二[illegible]

細辛 全蝎各壹戔 右爲末糊丸如梧子每服七丸 嚼爵生葱茶送下。

第拾籤 借問善門何處是，旁人誤指入他岐，徒勞一世營謀業，

雖逐邪風敗腦歸。 梔子 條芩 連翹各弍戔 川芎 白芷

活世良方上 頭痛 五十四

知母　黄柏　薄荷　生地各壹錢　柴胡　桔梗各五分　附子　甘草各弍分半

石膏壹匙　細茶壹撮　水煎熱服三劑。

腰痛第一籤

平辰多勞碌，先天日不足，况乎老血衰，補元難求速。

當歸　白芍　生地　熟地　陳皮　小茴　破故紙　牛膝　杜仲　白苓各壹錢　黄柏

知母各七分　炙草叁分　生姜叁片　棗弍枚　煎服三劑。

第二籤

浩慾不節，腰痛若折，我有仙丹，補筋妙訣。

蒼朮　黄柏姜炒　白芍　陳皮　牛膝　木瓜　杜仲　威灵仙　澤瀉各五分

甘草叁分　生姜叁片　水煎服五劑。

第三籤

飲食起居每失常，命門相火漸衰傷，仙丹許汝數三度，

不記深恩在聖堂。

當歸　官桂　玄胡　杜仲　小茴　木香　黑丑等分

右為細末每服二匙空心温酒調下。

第四箋 腎虛須補。筋骨漸強。新病未起。昔德毋忘。

破故川萆薢杜仲黄柏知母各四兩 胡桃肉捌兩 右為細末蜜丸如梧子大每服八十丸酒送下。

第五箋 老年衰邁。腰痛之常。人謂小疾。我謂重傷。苟不峻補。水竭陽亢。壽期不久。遊往帝鄉。

當歸白芍生地熟地陳皮茴香破故牛膝杜仲茯苓各壹錢 人參五分 黄柏知母各七分 炙草三分 大棗貳枚 服五劑。

第六箋 腎骨肝筋。各有所主。信服仙丹。平服如故。

當歸生地秦艽肉桂牛膝杜仲白芍防風各壹錢 土茯苓壹錢半 川芎五分 甘草叁分 生姜叁片 水煎熟臨服入酒少許服三劑。

第七籤 血被風冷，腰隨血痛，散血驅風，此方通用。

當歸、桃仁、大黄、牛膝 各弍錢 川芎、赤芍、紅花、生地、姜活 各壹錢 桂枝 叁分

水煎服二剂，再禱。

第八籤 腎氣衰羸骨節開，令人行動甚艱难。汝今不把心經念，天壽幹回乙丙间。

熟地、當歸、杜仲 各壹两半 白芍、川芎、杞子 各壹两 破故 弍錢 小茴 六錢 桃仁 五錢 川練子、黄柏 各壹两弍錢 右為末，蜜丸如梧桐子大，每服八十九，酒送下。

第九籤 補腎亦補脾，医理幾人知。汝當頻日服，全痊且發肥。

杜仲 弍錢 破故 五分 小茴、人参 各叁分 右為細末，用猪腰子弍个切開，入葯蒸熟，帯水渣同食，即愈。

第拾籤　好醉乾坤大。困迷歲月長。生老又病死。苦趣太多悽。

大茴　杜仲　破故各壹兩　熟地弍兩　胡桃肉四兩　牛必五錢　當歸壹兩　陳皮五錢　木瓜五錢　血角五錢　大棗五枚　浸酒飲每日食前大鍾久服壯氣益壽。

脇痛

第一籤　氣血衰微。風乘虛而作怪。天時乖癘。病因運以為殃。汝有誠感。我有良方。

黃連弍錢　柴胡　當歸各壹錢半　青皮　桃仁　只殼各壹錢　川芎　白芍各七分　紅花五分　生姜五片　水煎食遠服五劑。

第二籤　汝脇痛。我心憐。如活命。勿忘恩。

姜黃　只殼各弍錢　陳皮　半夏各壹錢　甘草五分　桂心叁分　生姜叁片　食遠服五劑

第三籤　家道久和。凶星正照。無禱無視。運命不好。

柴胡 川芎 白芍 青皮 只壳 各壹戋半 香附 當歸 竜胆草 木香 砂仁 甘草 各五分 生姜 叁片 水煎不拘時服三劑

第四籤 才子朝朝暮暮，佳人去去行行，勿憶前年誓願，可嘆今日哀鳴。無方

第五籤 欲全活，須坚持，心不正，病难医，既投善地言終始，莫咱旁人說是非。

當歸 竜胆草 山梔 黄連 大黄 芦荟 柴胡 各五戋 青黛 木香 各叁戋 射香 五分 青皮 壹戋 右為末，糊丸如梧子大，每服二十丸，姜湯送下。

第六籤 祖有凤福，汝有善缘，飯頭善地，非天使然，即聖使然。

當歸 橘皮 白苓 各壹戋 黄連 白芍 香附 梔子 各八分 川芎 半夏 青皮 各六分 柴胡 厚朴 各七分 吴茱 甘草 各四分 生姜 叁片 煎服五劑

第七籤 汝病痛苦，我心哀矜，欲垂手救，柰力未能，自家先禱，信藥有微。

陳皮半夏白苓各弍戋只壳砂仁木香川芎青皮苍朮香附茴香各壹戋生姜叁片　水煎服三剂

第八籤

凡人疾病天罰所定非造陰功難贖性命

人參當歸柴胡陳皮甘草川芎白芍青皮木香砂仁只壳茴香各弍戋　生姜叁片　水煎服三剂

第九籤

六味地黄湯補水制陽光血海如乾涸連飲勿尋常

六味地黄丸加柴胡當歸　六味湯熟地茯苓山葯山茱𣏌丹澤泻

第拾籤

養性須修善災去疾病痊人若不遠慮近憂在眼前

香附砂仁厚朴陳皮只壳山查神曲木香乾姜甘草等分弍分即各香砂平胃散　生姜叁片　水煎温服三剂

臂痛第一籤　手得血能握，邪風傷經絡，信服諸仙册，舉動皆活潑。

蒼朮壹錢半　白朮　南星　陳皮　茯苓　香附　黄芩　威灵仙　姜活　甘草各壹錢　半夏弍錢　生姜叁片　水煎服三劑。

第二籤　傷筋敗骨，血不榮身，調和百脉，此藥如神。

當歸　赤芍各叁錢　黄芪　姜活各壹錢　防風　甘草等分弍錢　生姜叁片　服五劑。

第三籤　活血驅風，舒筋補骨，奉聖持經，從茲勿忽。

陳皮　知母各捌分　白芍　白朮　當歸各壹錢　半夏　白芍　黄芩　黄栢　牛膝　木瓜　防風各七分　川芎　姜活各五分　桂枝叁分　生姜叁片　水煎食遠服三劑。

第四籤　外風乘虚，内血不足，氾入肝經，最難伸縮。

烏藥　陳皮　麻黄　川芎　白芷　桔梗　只殼各壹錢　殭蚕　乾姜各五分

甘草叁分　生姜叁片　棗壹枚　水煎温服三剂。此名烏葯順氣散

第五籤

天罰不容，神明亦惡，見西間名，倍加赫怒，退步省躬，三个月

許蔔蔔重來，吾當赦汝。　無方

第六籤

英雄手段独軒昂，长恰田園入智囊，斬尽塵根刀亦鈍肬

如來折力誰當。　五積散　白芷、當歸、川芎、陳皮、厚朴、蒼术

半夏各壹錢　白芍、只壳、桔梗各壹錢　乾姜、官桂各五分　麻黄八分　甘草三分

生姜叁片　棗壹枚　煎服三剂。

第七籤

氣爲衛，血爲荣，助脾胃，補肝経，吾用葯，如用兵。

補中益氣湯　加木瓜、牛夕、桂枝、羌活、防風　服五剂。

第八籤

風是毒，毒是風，欲強健，補兼攻。

人参敗毒散 加木瓜、柴胡、前胡、姜活、独活、人参、茯苓、甘草、桔梗、只壳、薄荷 各等分 生姜 叁片 水煎服三剂。

第九籤 發誓願心、自皈依善、方可尋医、灵籤應現。 無方

第拾籤 好飲葡萄酒、須到杏林家、杏林人已去、剩有一枝花、

當归 壹两 川芎 五钱 熟地 壹两 牛必 叁钱 木瓜 五钱 血角 叁钱 五加皮 四钱 威灵仙 五钱 白芍 炒叁钱 杜仲 炒叁钱 大棗 五枚 陳皮 叁钱 甘草 弍钱

用好酒一壺浸一个月、頻飲亦可稍痊。

痛風第一籤 朔風其凉、吹到君旁、寒侵骨肉、濕了衣裳、

姜活、蒼术、黄芪、參、當归、白芍、茯苓、半夏、香附 各壹钱半 木香 陳皮 甘草 叁分 姜 叁片 棗 弍枚 煎服三剂。

第二籤　腠理不密。病自内出。為痛為痺。其症不一。

柴胡升麻槀本姜活防風麻黄蒼朮陳皮甘草當歸等分

右剉一劑姜葱水煎熱服出微汗即愈。

第三籤　風邪作怪。痰火為災。不信聖藥。厥病難瘥。

當歸川芎白芍陳皮半夏茯苓蒼朮厚朴姜活独活只壳桔梗白芷各捌分乾姜肉桂麻黄甘草各五分穿山甲壹钱姜叁片棗壹枚服三劑。

第四籤　斯人斯疾。且痛且疼。服我良藥。可以驅風。

蒼朮弍兩川烏當歸川芎各壹兩乳香没藥各叁钱丁香五分

右為末棗丸如梧子大每服五六十丸黄酒送下。

第五籤　家神陰護。責在汝躬。誠心悔禱。服藥見功。

木香五分另研 南星、半夏、陳皮、茯苓、蒼朮、姜活、片芩、白芷、白芥子各一錢

甘草叁分 右剉一劑，水煎，入姜汁、竹瀝同服。

第六籤 無方

曾来不見向今日忽飯頭，始敎凡夫苦。何必枉相扶。

風入經絡，毒在皮膚。久日変症，亦難矣乎。

第七籤

甘草四分 當歸壹錢弐分 白芍壹錢半 生地、蒼朮、牛必、陳皮、桃仁、威灵仙各壹錢 川芎、防已、姜活、防風、白芷、竜胆草各六分、茯苓七分

生姜叁片 水煎服三劑。

第八籤

血脉大開，風自南來。伏入腠理，至今為灾。

當歸、川芎、白芷、片芩、黄連、姜活、蒼朮、防風、桔梗、南星、半夏、桂枝、甘草等分 右剉一劑，加生姜叁片，水煎服。

第九籤　灾厄臨頭汝亦何憂信斯神葯厥疾必瘳

當归白芍白朮蒼朮半夏陳皮茯苓黄栢威灵仙牛膝桃仁紅花甘草等分　右剉一剂生姜五片水煎入竹瀝同服

第拾籤

荣衛不調氣血虚耗飲斯仙葯記彼功劳

独活桑寄生牛膝杜仲防風各等分細辛當归桂心川芎白芍茯苓人參熟地秦艽甘草減半生姜叁片水煎服即名独活寄生湯

脚氣第一籤

沐雨櫛風湿熱上攻循足經絡漸到心胸亦死矣

姜活當归各弍錢防已壹錢半大黄四錢只寔壹錢水煎空心服再禱

第二籤

路行千里惟足是倚不信聖医久成足躃

姜活當归猪苓澤左知母白朮黄芩茵陳甘草各五分人參苦參

升麻　葛根　防風　蒼朮各四分　水煎空心服三劑

第三籤　奔走旁途　几坐寒盧　平辰造孽　今日乘除

蒼朮四兩　黄柏弍兩　牛膝　防己　當歸　川萆薢各壹兩　懷熟地壹兩

右為末，蜜丸如梧子大，空心鹽湯下。

第四籤　欲解風淫　須補肝經　舒筋寔骨　得血能行

當歸　白芍　牛膝各壹兩　白朮　蒼朮　熟地各弍兩　川芎　姜活　独活　防風

木瓜　防己各七錢　桑寄生六錢　肉桂四錢　杜仲壹兩　右為末，糊丸如

梧桐子大，每服百丸，鹽湯下。

第五籤　聖門不至　非躐而躐　有幸可求　了事便廢　無方

第六籤　先用内飲　後兼外塗　風消血活　行步自如

牛必弍刄　蒼术叁刄　黄栢弍刄半　為末蜜丸空心盐湯下或酒亦可

外治　艾葉弍刄　葱頭壹根　生姜壹刄半　用市共為一包蘸極熱燒酒擦患處

第七籤　家内小祥皆賴灶王家内小殃不拜灶王　誰愈矣

蒼术草烏白芷姜活當歸赤芍虎脛骨各等分

右為末每服五七分酒調下

第八籤　年冲月限已亥寅申行步強健須記聖恩

牛必杜仲續斷萆薢防風独活甘草各叁刄烙乾　為末每服弍戔酒調下

洗法　只用桃柳榆槐桑椿六件木枝煎湯重洗

第九籤　由風共溼傳变入脚流注諸經久成痼疾

乳香没藥天麻白附殭蚕等分　為末每服五分酒調下

洗法 川椒壹兩 葱壹握 生姜如掌大壹塊 水一盆煎湯重洗。

第拾籤

痃癖痃癖何遲何遲已經日月癒最難医。

五加皮半斤 川芎 杜仲 當歸 生地各叁兩 地骨貳兩 右剉散用如好酒壹罈入藥重湯煮隔水二炷香取出一宿隨量飲之。

斑疹第一籤

升麻貳錢 犀角貳錢 射香壹厘 人參 甘草各壹錢 水煎温服二劑再禱

第二籤

皮膚之患且逢大限祈禱不勤危死何惡。

人參 當歸 紫草 白苓 甘草各叁錢 石羔壹兩 知母貳錢五分 温服一劑再禱

第三籤

痘疹須分何贋何真毋冲胸腹亦致殺人。

柴胡叁錢 黄芩 半夏 紫草 黄連 茯苓 甘草各貳錢 人參壹錢

生姜五片 水煎温服 一剂再祷

第四籤 無方

平夜父母造作悪报索命培償俟期疹瘥 遇此籤須謝罪贖案發願修行何事相称方可再祷否則休矣

第五籤

疹有積毒毋只貴中虚或見泄泻安樂自如

當归 生地各叁钱 赤芍弍钱 黄連六分 紅花捌分 石羔弍钱 煎服一剂

第六籤

汝家遇变非独今朝青竜白虎物损人耗

姜活 独活 柴胡 前胡 當归 川芎 只壳 桔梗 茯苓 人参各五钱 荷 甘草 白朮 防風 荆芥 蒼朮 赤芍 生地各五分 姜五片 枣壹枚 服三剂

第七籤

善缘際遇家福所遺兒孫有疾神力扶持

牡丹 生地 木通 归尾 遠志 犀角各叁钱 紫草 知母 牛蒡 茴根

甘草穿山甲各壹戔　水煎穿山甲末磨犀角同服二剂

第八籤　汝太宗人班疹不分沉班浮疹最忌黑紋

當歸生地姜活防風紫草金銀連翹各弍戔　甘草五分　生姜五片

水煎温服二剂再禱

第九籤　弘仙大帝痘疹减消不知再禱桂殿非遥

當芎赤芍防風姜活紫草木通金銀連翹各弍戔　甘草五分

生姜五片　灯心弍子　水煎温服

第拾籤　發熱發搓餘毒已化若熱未清須防大禍

當芎赤芍紫草連翹金銀生地桔梗各弍戔　甘草壹戔

白朮茯苓各壹戔半　水煎温服二剂再禱

面病第一籤　花顏開口笑，柳臉忽眉蹙，得志與失志，都是一般人。

防風壹錢　連翹　白芷　桔梗各捌分　荊芥　梔子　黃連　洎荷各五分　黃芩　川芎各七分　只殼　甘草各弍分

水煎，入竹瀝一小鍾同服。一劑再禱。

第二籤　英華發外，充寔在中，良心多喪，面上通烘。

升麻　白芷　防風各弍錢　白芍　蒼朮各叁分　黃芪　人參各柒分　葛根壹錢半　甘草四分　生姜五片　大棗弍枚　水煎服三劑

第三籤　見面則惡，聞名則如聖，本慈悲，惟善是取。　無方

第四籤　面如美玉，心如朽木，火鬱上焦，發成瘡毒。

連翹　川芎　白芷　黃連　苦參　荊芥　桑白皮　黃芩　山梔　貝母　甘草

各等分 水煎臥臨服 三劑

第五籤 相心須相面，賢愚多發現。今服瀉心方，火清瘡自變。

升麻 葛根各壹錢 白芍七分 川芎四分 薄荷 荊芥各弍分 蒼朮捌分半 黄連五分 黄芩六分 犀角四分半 白芷 甘草各叁分 水煎服三劑。

第六籤 外面生瘡，上焦積鬱，毒氣薰心，素於平日。

升麻 白芷 葛根 黄芪各柒分 人參 草豆蔻各五分 益智叁分 炙草五分 附子製七分 連鬚葱白弍根 水煎溫服三劑。

第七籤 班紋黑点，疥癬疽瘡，悅顏美色，通用此方。

白附子 密陀僧 白苓 白芷 官粉各等分 右為末，先用甘菊煎湯洗面，後用羊乳調成膏，敷患處，早辰洗去。

第八籤　小瘡何患疕玷可羞人有面病是悪兆頭。

密陀僧不拘多少為細末臨卧乳汁調敷面上次日洗去不過三五次而已即瘥。

第九籤　芙蓉洛旱露羣栁送秋波可憐真面目忽作路頭花。

半夏硫黄白鹽枯礬各弍戔右為末水調敷患處立消

第拾籤　花顏憔悴桂影忽斜暉神舍火熘熘真相已無非。

雄黄鉛粉各壹戔硫黄五分共為細末乳汁調塗患處晚上敷次早温水洗去如此三上即已。

耳病第一籤　耳目聰明為男子身嘗成痼疾徒作廢人。

當歸川芎白芍生地知母黄栢黄芩柴胡白芷香附各等分煎服。

第二籤 腎虛火動耳鳴耳聾服藥遲遲方見功用。

黄連黄芩梔子當歸陳皮胆星各壹錢竜胆草香附各捌分元參七分

青黛木香乾姜各叁分生姜叁片 水煎服三劑再禱。

第三籤 發病已久視常為小欲速難成仙冊何效。

熟地壹錢六分 山藥川芎當歸白芍各捌分 牡丹澤瀉白苓共栢知母遠志

石昌蒲各六分 水煎溫服或作客丸亦可 三劑

第四籤 不咱聖經假為聾漢斯疾斯人抑又何惡。 無方

邪風入耳虛火上頭仙冊不愈此外何求。

第五籤 荊芥連翹防風當歸川芎白芍柴胡只殼黄芩山梔白芷桔梗各等分

甘草減半 右剉一劑水煎服再禱。

第六籤　笛弄城頭近，雷轟雲外遥。堪嗟逆水鴨，泛泛上洪濤。

蔓荆子、升麻、木通、赤芍、桑白皮、麥冬、炙草、生地、前胡、赤茯苓、甘菊花各等分，生姜叁片，棗弍枚，水煎服二劑。

第七籤　高山與流水，知己遇知音。可笑牛眠卧，不識調浮沉。

黄柏、梔子、元參、蒼术、白术、香附、生地、檳榔、陳皮、黄連、黄芩各壹錢，撫芎捌分，貝母叁錢，木香、炙草各五分，右剉二劑，姜棗煎服，入竹瀝同服。

第八籤　咱我言語，改汝愆尤。賜斯藥劑，厥疾必瘳。

赤苓、半夏各壹兩，青皮、柴胡、黄芩、元參、蔓荆子、桔梗、全蝎、昌蒲、黄連、橘皮各壹兩半，甘草五錢，共為末，糊丸如豆大，每服百丸，清茶送下。

第九籤　補腎清火諸家開通治法顧本久則見功

橘紅　赤苓　蔓荊子各壹戔　枯芩捌戔　黄連　白芍　生地　柴胡　半夏各柒戔

人參六戔　青皮五戔　甘草四戔　右為末糊丸每服百丸清茶送下

第十籤　麝射非真麝射心末真心徒費功用病愈入深

用真射香為末葱管吹入耳內後將葱塞耳孔內耳自明矣

又方　用蛇退枯礬吹入耳內耳自明矣

鼻病第一籤　鼻為肺候能別臭香偶遇風毒生䐜生瘡

防風　羌活　藁本　升麻　乾葛　川芎　蒼朮　白芷各壹戔　麻黄　川椒　細辛

甘草各叁分　生姜叁片　葱白叁枚　水煎熱服三劑

第二籤　氣不通肺脘塞不早医生肉息

黄芪　蒼朮　羌活　独活　防風　升麻　葛根　甘草　川椒　麻黄　白芷各叁分

生姜叁片　大棗弍枚　葱白叁根　水煎食遠服二劑

第三籤　小疾易治大罪难寬回思往事無意成冤　無方

第四籤　熱湿挾風為痔為癰欲救伊病誰答神功

荊芥　柴胡　當为　川芎　生地　白芍　白芷　防風　治荷　山梔　黄芩　桔梗　連翹各等分

甘草減半　右剉散水煎服三劑

第五籤　天害斯人身罹斯疾解冤之方惟勤拜佚

川芎　白芍　當飯亨熟地　紅花　茯苓　陳皮各叁錢　甘草壹錢　生姜壹片

水煎調五灵脂末同服二劑

第六籤　前年發願大德未酬今朝遇病謂我何求

黃連、黃芩、黃柏、梔子、大黃、桔梗各弍戔　右爲細末，糊丸如梧子大，每服五十丸，臨卧白湯送下。

第七籤

疾何視小，藥又奇遲，愈日愈重，聖藥何爲。

山梔、黃芩、當歸、川芎、荊芥、薄荷、白芍、紅花、甘草、牡丹、桔梗、防風、連翹、白芷各弍戔　生姜叁片　細茶壹撮　水煎溫服三劑。

第八籤

汝欲愈，我明言，須發願，拔本源，集陰行，八聖門。

細辛、白芷、防風、羌活、當歸、川芎、半夏、桔梗、陳皮、茯苓各壹戔　菖蒲、薄荷各叁戔　水煎服五劑。

第九籤

乎吸邪風，壅滞肺氣，先補母虚，責乎脾胃。

補中益氣湯加麥門、山梔。

第十籤　賞識琼林萬斛香。花神妬殺愛花郎。從茲没有尋芳客。辜負葵心独向陽。　無方

口舌第一籤

口脾之候。舌心之苗。湿热相搏。清解亦消。

連翹、山梔、桔梗、黄芩、黄連、泡荷、當歸、生地、只壳、白芍、甘草各弍㦮。水煎服二剤再𧮮。

第二籤　餘热發泄。口舌生瘡。用斯凉藥。小疾何妨。

用黄連為末，二三㦮，好酒煎三沸，候冷含嗽，或咽下即愈。

第三籤　凡諸病患自天降，殃罰未満限，欲速無方。

黄連、黄栢、黄芩、梔子、細辛、乾姜各等分，水煎，频频含嗽咽下。

第四籤　修功不及。疾厄由生。出言輕慢。觸犯神明。　無方

第五籤　凡瘡熱症通用此方我今頒布以救黎蒼

黃栢　孩兒茶　枯礬　等分　右研一處凡患人先用陳米熬湯凉冷漱口次將藥末摻患處不拘三五年諸治不愈此藥敷三五次即愈

第六籤　不論口舌根在脾心清心脾火黃連黃芩

黃連　黃芩　山梔　石羔　山藥　桔梗　陳皮　茯苓　各弍錢　白朮　甘草　各壹錢　烏枚弍个　水煎食後服二劑

第七籤　含血噴人先污自口大凡子訛多受悪報

桑白皮　地骨皮　各弍錢　甘草　壹錢　水煎溫服

第八籤　幼爲瘡老爲熱總而言皆自血

貝母　天花粉　薄荷　各五分　黃連　荊芥　牛蒡　各八分　連翹　壹錢　山梔　六分

柴胡四分 甘草叁分 燈心叁子 水煎溫服三劑

第九籤 唇為門戶齒依藩籬苟生大悪亦是危機

半夏 生地 茯苓 各壹錢半 陳皮 桔梗 黄連 當歸 青竹茹 各壹錢 甘草五分 生姜三片 水煎服三劑

第十籤 須守口勿詭言服聖藥記聖恩

小柴胡湯加麥冬 棗仁 遠志 地骨皮 柴胡 半夏 黄芩 人參 甘草

牙齒第一籤 胃熱生蟲為齒之蠹須信仙方終身堅固

當歸 生地 黄連 牡丹 各叁錢 升麻壹兩 石羔 大黄 各壹錢 細辛 黄芩 細茶 各叁錢 右剉一劑水煎服連三劑

第二籤 貪食昧心錢貪吞失節物天罰已難逃連年帯小疾 無方

第三籤　肾為骨之主齒為骨之餘飲食失節度蟲蠹作巢居

乾姜壹両　雄黄叁錢　右為細末擦之立愈

第四籤　人口有虫吾謂湿熱信用神方其根尽絕

當歸川芎赤芍生地黄連牡丹梔子防風荊芥薄荷甘草　右剉一劑水煎食遠頻服　外用煙葯共白礬水含一時久吐去

第五籤　湿生熱蠹生膿痛生腫毒生蟲

當歸生地川芎連翹防風荊芥白芷羌活黄芩山梔貝売各等分　甘草減半

右剉一劑水煎食遠服

第六籤　雖云小疾最是難堪服吾良葯且飲且食

當歸生地細辛乾姜連翹苦參黄連花椒桔梗白芷烏枚甘草各等分

右剉一剤水煎先含漱後嚥下。

第七籤　心火胃火可清可泄齒虫齲虫可消可化。

黄蜂窩　白蒺藜　花椒　艾葉　葱頭　荊芥　細辛　白芷

右等分剉碎醋煎口噙漱良久吐出再噙。

第八籤　有血齒用藥消有虫蝕用心挑

山梔　連翹　牡丹　條芩各壹錢　石羔弍匙　生地　黄連各捌分　升麻　白芍　桔梗各七分

霍香　甘草各五分　水煎温服三剤。外用雄黄五錢　生姜壹兩合勻敷之含之。

第九籤　藥雖效　錢嫌少　後欲痊　須急料。

花椒　細辛　硼砂　枯礬　銅綠　黄連　青黛各等分　右為細末先用涼水漱

口後將藥末擦在牙齒縫處。

第拾籤　食非義。應減善。天理公當自揣

生地　白蒺藜各弍両　香附四両　青皮去両半　破故去両　沒石子四个　右為細末

早晨擦牙津液嚥下，久用自然能固齒烏鬚。

眼目第一籤　目下無人成瞽瞍。胸中有聖見光明。要知仍悔回光彩。眼界開外覓聖經。

當歸　川芎　白芍　生地　熟地各四錢　桔梗　人參　山梔　黄連　白芷　蔓荊子　菊花　甘草各弍錢　細茶去梗　灯心弍子　水煎，食後服三劑。

第二籤　目病見虛花。只緣見火邪。挾風成腫痛。此方療眼科。

泊荷　甘草　共天麻　荊芥　防風　甘菊花　當歸　連翹　枸杞子　川芎　白芷　密蒙花各等分　各研為細末。每服叁錢，只用茶劝君每日進一服。瞳人咫尺見天涯。

第三籤　目得血能視。迎風不流淚。火熱上冲攻。瞳人成膜翳。

怀生地 熟地各四两 知母 黄柏各弍两 独活壹两 牛膝 白蒺藜各叁两

右為末蜜丸每服八十丸夏月盐湯下餘月酒下

第四籤

目不正 偶成病 欲開顏 須返性 服吾方 遵吾令

大黄 葛花 泽泻 石决明各等分煅去粗皮薑同煎 右剉一剂煎服

外以萆葱襖紫搗碎入盐少許粘于小指節左痛粘左右痛粘右双痛双粘

第五籤

肝肾火虚 睡人热 發翳膜 昏花兼 家神罰

當歸 生地 白菊花 谷精草 木賊 大黄 姜活 石决明 蔓荆子 白芷 黄柏 連翹 竜胆草各壹钱 蝉退七个 水煎食遠服三剂

第六籤

盍開眼界 观列聖经 不学無術 望字如盲 若狃故習 聖藥無灵

遠志 人參 白苓 石昌蒲各壹两 右為末蜜丸硃砂為衣每服二三十丸臨

卧白湯下。　每早以桑葉採水洗之。

第七籤　織柴勿用邪色勿窺心火不動相火争飯。

當歸川芎赤芍生地黃連黃芩梔子石羔連翹防風荊芥泊荷羌活菊花蔓荊白蒺草決明甘草各等分　右剉一劑水煎食遠服

第八籤　目小傷。痛難忍有白膜洗亦尽若檫摩誰能謹備踈心其禍近。

黃連黃栢白礬各弍分右剉膠棗壹枚煎水半鍾洗之立消。

外以荸薺襖紫搗碎入鹽少許縛手小指節

第九籤　大限照臨陰功培造我本慈心思無求報。

六味地黃丸加菊花密蒙竜胆草　外以白礬爲末叁錢共㳟姜汁為膏塗于眼胞上腫消洗去。

第拾籤

汝速去。勿再申。身不度度何人。罪不贖。藥難分。若盲瞽。勿尤神。無方

咽喉第一籤

須急急。勿遲遲。先發福。後求医。

山梔。連。喬。黃芩。防風。只殼。黃連。當歸。生地。甘草。各弍戔 桔梗。泊荷。各壹戔 灯心弍子 細茶壹撮 水煎磨山豆根調服三劑。

第二籤

發願抄前經文印送。天解刑傷。聖扶功用。

蜈蚣焙存性 胆礬。全蝎。焙存性 殭蚕。蟬退。各壹戔 蟾酥。穿山甲各叁戔 川烏尖壹戔 乳香五分 右為末每服弍戔酒送下。

第三籤

仍謝城隍。為依善地。作大福緣。以開咽噎。

胆礬。白礬。朴硝。片腦。山豆根。神砂 先將鷄膍內黃皮焙乾共前藥研極細末用鵝毛管吹藥入喉即效。

第四籤　無事常閒驕慢口。臨危衆惡賤微身。且回拜謝家神説。後月重来奏帝君。　無方

第五籤　氣不通。喉自塞。若遲延。死立即。禱家神。作陰德。解業根。憑神力。　用壁上蜘蛛白窩取下。共患者腦後髮拔一根纏定蛛窩。灯上以銀針挑而燒之存性為末。吹入患處立消。

第六籤　既服藥。又禱神。陰相汝。幸全身。

當歸　川芎　黄栢　知母　花粉各壹戔　熟地　白芍各壹戔半　桔梗　甘草各三戔　水煎入竹瀝一鍾同服。

第七籤　遇惡症。亦系重。不受刑。不驚恐。

萡荷　揀参各五戔　生地壹ソ　甘草弍ソ　桔梗叁戔　山豆根八戔　片腦三分

右為末蜜丸如龍眼大每一丸分三次臨臥將丸噙入口中津液漸漸化下。

第八籤 咽喉腫苦疼痛我亦憐汝知奉不善修福旋踵。

烏枚烏葯甘草桔梗右等分水煎食後頻頻服之再禱。

第九籤 熱毒內攻惡星外照幾何年來命運不好

防風荆芥姜活連翹牛旁甘草各等分 水煎食後服。

第拾籤 雄黄枯礬藜芦牙皂速用此丹性命可保。

雄黄枯礬藜芦牙皂右各等分為細末每用豆大一粒吹入鼻内吐痰神效。

肺癰第一籤 肺生癰毒虚火刑金精神散尽魂魄難尋只緣

冤障結怨太深。

桔梗貝母當歸卞蔞桑白皮防風杏仁百合黃芪只殼薏苡

甘草各等分右剉劑生姜五片煎食後服五劑。

第二籤 寅申巳亥年月日時喪門吊客不知其期。 無方

第三籤 惡疾本惡根至死冤何言如今知忉悔須埋首聖門。

用薏苡仁先炊二斤畧炒為末糯米飲調服或入粥煮

吃亦可或水煎服當下濃血自安。

第四籤 肺有毒火須清須潔家有妖氣在上在下用葯兼符。

治之則可。 當歸白芍黃芩人參五味黃芪麥冬桑白皮

百部薏苡各等分右剉劑生姜五片水煎服五劑。

第五籤　汝不見家共族幾年來受辱緣是何所生祖墓無陰福。　貝母黃芪防風金銀花忍冬藤金沸草牛必桔梗各二ソ右用鴨一隻縊死去毛破開入前芐味葯於鴨肚內用好酒煮尽為度乞鴨葯渣晒為末酒調服。

第六籤　急散桔礬仁二ソ百草霜ソ一糊丸如豆積青囊三五十丸隨力服五味沙参共煎湯。　煎湯送下。

第七籤　禱神三五夜服葯三五湯苟不誠不轉其病入膏肓。遵如第四籤葯而服則可。

第八籤　無福多生怪有病先自知不作冥冥傷死亡亦近期白鴨一隻去內臟用薏苡仁杏仁壹斤炒上入鴨腹中飯上蒸熟則

吃鴨肉大能補肺。

第九籤　無方無藥。可怪可憐。但汝家內。多有牽纏。經三四廿一危困難連。　無方

第拾籤　家內不祥。既受喪殤。又逢故氣。日夜驚惶。　無方

痊病第一籤　似風又非風。須看目錄中。若指鹿為馬。其害人同羅

人參。川芎。白芍。熟地。白朮。白苓。陳皮。甘草。右㕮剂。生姜叁片。大棗壹枚。　水煎溫服。二剤再禱。

第二籤　死者未發。生者逢危。免家重殺。禳禱何迟。不遵善法。枉居家貲。

乔蔞。只宲。貝母。桔梗。片芩。陳皮。山梔。麥冬。茯苓。人參。當歸

木瓜蘇子各等分 甘草五分 姜壹片 水煎入姜汁竹瀝同服。

第三籤 我有冊。汝不信。我垂慈。汝不善。盡歸之三日見。 無方

第四籤 危病到頭悔心失足不作陰功天刑難贖

小續命湯即黄芩白芍杏仁桂枝甘草各壹錢 防風附子姜活各五分 水煎温服五劑

第五籤 風火當空熱不救自然滅惟贖命黄泉須處申表血。

葛根白芍各弍錢 桂枝黄麻甘草各八分 生姜三片 棗一枚 煎服

第六籤 覡汝家向不利自遷居多見害。水不通山勞敗況四圍常有怪。乘危機。亦擾害。

柴胡八分 黄芩弍錢 半夏赤芍各弍錢 川芎壹錢半 甘草八分

生姜三片水煎温服。数剤再禱。

第七籤　欬有方葯須無偽心可嗤鄙葸多負恩深、無方

第八籤　廟上城隍寺外茄藍不禳不禱走北走南况於善道敢自排讒。

仸夌川貝母各三戔只寔陳皮各弍戔桔梗玄。参各壹戔當为五戔麥冬叁戔白茯苓四戔蘇子二戔甘草壹戔姜三片服三剤。

第九籤　欬不言。汝不去。为告的親人再来則我賜。無方親人勞苦不須嗟只可勤求救病家他日平安矣

第拾籤　皇矽。窟葸前朋樽酒笑呵呵。

杏仁甘草桂枝各弍戔防風附子各一戔甘草五分服二剤再来

消渴第一籤　水火不交隨飲隨消。又障振近其死難逃。

人參白朮白茯苓當歸生地各壹錢　黃柏知母黃連麥冬天花黃芩各八分　桔梗五分　甘草二分　煎服若火減再禱否則悔禱竭誠方可

第二籤　腎水大虧相火大旺直折寒涼急救無恙。

當歸白芍生地麥冬知母各一錢　川芎黃連各八分　石蓮肉荷烏梅黃柏甘草各五分　天花七分　水煎溫服並宜禮鮮。

第三籤　病者何重冤者何深乙支甲幹其祖多淫。

人參黃芪白芩乾葛麥冬烏梅甘草各壹錢　天花一錢半

右為末蜜丸如彈子大每服一丸溫湯送下。久久見功。

第四籤　平日不向善近死始為頭真心亦是假慧眼安可廋

天花生地各一月 麥冬五味乾葛甘草各五戔 糯米一撮 煎服。

第五籤 党参五戔或二紅参好 甘草麥门冬各三戔 五味一戔 黄芪五戔 煎服中。
飲時少許辰砂八五劑服完始見功。

第六籤 報汝肯看第六籤列于座右作箴砭當為善事行
陰福天佑家中富壽兼。

第七籤 八味丸去附子加五味。識者此味呈乞卜珓沓賜再禱。
汝有真心我亦忠告佐使君臣默中指教飲尽此丸自
然見效 六味地黄丸加麥冬五味天花丸約一斤以理。

第八籤 可怒可笑不忠不孝天罰既加其罪不小非急悔心性命難保

第九籤 我無方汝宜去勿懤懤增觸怒倍薄夫誰不惡。

第拾籤　人間苦惱百般生，只為前愆受不輕，解結可年滿未了，相尋禍患報同庚。　葯亦無補，何必戍方

癲症第一籤　痛苦長年独自嗟，恩人誰是市餘波，徒劳財力治虛味，覺得開頭事已過。

砂仁　木香　吳茱各七分　甘草三分　茴香　玄胡　益智　蒼朮　香附　山梔　當歸　川烏各壹錢　生姜叄片　燈心二子　水煎磨木香同服三劑

第二籤　萬縷愁腸斷不分，只緣孽結重今身，不憑神力陰中解，枉立人間作廢人。

烏葯　當歸　白芍　香附　陳皮各一錢　茯苓　白朮　檳榔　玄胡　澤瀉各五分　北木香　甘草各三分　生姜三片　水煎服五劑。

第三籤　氣欝結宜疎通血瘀聚宜破攻破尽信藥見功火
循豫亦虛空
木香乳香沒藥附子小茴全蝎宜精製玄胡川楝子人參各等分
為末糊丸如梧子大每服百丸酒送下三斤而止

第四籤　藥力未及病難求以早遲况復沉重病久年已牽纏
硫黄三分荔枝核壹錢半川芎五分吳茱大茴各壹錢半木香沉
香乳香橘核各壹錢倍五而為末糊丸每服五十丸米湯下酒亦可

第五籤　家内平安日不記聖神恩庚丁辛戊亥頻頻到善門
人參當歸川芎青皮茴香玄胡蒼朮各壹錢大香沉香川
烏各五分山梔砂仁吳茱各七分甘草二分姜三片水煎磨木香同服

第六籤 苦口利病。亦因本性。須信吾言。何憂斃命。

川楝子 小茴。破故。青塩。三棱。莪朮。山茱。通草。橘核。荔枝核。各弍戔 甘草壹戔 水煎溫服三劑。

第七籤 虫蝕胃腸。日夜心傷。貧而病重。難覓生方。

雄黃、白礬 各弍月 甘草五戔 共煎水洗。

第八籤 槐子五戔 炒散之。三分塩入混同時。空心黃酒須送下。

我有神冊世罕知。

第九籤 藥用獨味。急救其梢。忍聞苦訴。不救尔曹。

五倍子 五六个焙存性 為末以好酒調服以醉為度。

第拾籤 已矣甚矣。嗚呼嗚呼。病則沉重。心又糊塗。不 何俟。我方

則無　無方

㦖人又須知　一則

吒吏朱㦖人勤渧妝朱浪斯固录鉭吁檏抉單或卜檏朱旺耒吏底意聎𤷍意黏尾攻效垚弟除點仍病講塊空計叮𠍽覓排弟寔神效辰編蹅症病貼录旺塊𠀧曰数号排檏於日弟詞弟邑浽卷亖罡編竒仍味檏邑𤇮能数寅㦖人拱成没录試卧窒𠎬吧吏成特医𠊚柒專门丕。

活世良方完